中華文化思想叢書

國學概論（第2版）

下冊

劉毓慶　著

目次

第三編　史學

下冊

第四編　子學

第五編　文學

第六章
史學的三個系統及其要籍

傳統史籍的十五類區分，內容廣博。現在我們可刪繁就簡，將其要者歸為三個系統。一是國史系統，主記王朝興替與制度變遷。二是地理方志系統，主記歷史表象的空間舞臺。三是筆記野史系統，代表民間敘事與私家述說，是與國史不同的一個價值判斷系統。

第一節　國史系統及其要籍

「國史」主要包括兩個方面的內容：一是史錄，即王朝興衰更替的記錄；二是典志，即典章制度的變遷。這一部分史籍，資料來源主要是官方檔案，撰述者多身居史官，或多由官方組織，因此也代表了官方意識形態。

1 史錄

史錄，主記王朝興衰更替。在先秦時，史書主要有兩種體裁，一是編年史，二是國別史。編年史以《竹書紀年》《左傳》為代表。《竹書紀年》凡十三篇，敘述夏、商、周及春秋、戰國的歷史，下限是魏襄王二十年（前299年）。此書是西晉時在魏墓中發現的，後來得而復失。大多數學者認為今傳本《竹書紀年》為後人偽作。《左傳》記春秋近三百餘年歷史。國別史以《國語》《戰國策》為代表，分國記述歷史。《國語》記事起自周穆王，終於魯悼公，以記述言論為主，內容可與《左傳》相互參證，故有《春秋外傳》之稱。《戰國策》記戰國列國事，共三十三篇。這兩部書都有虛誇的成分，《國語》像是資料的分國彙編，《戰國策》像是當時縱橫家的演說記錄。雖然很有名，對歷史研究者而言，則只可做參考，不易視為信史。

漢以後史著主要有三種體裁，即紀傳體、編年體、紀事本末體。「紀傳體」的創立者是司馬遷。其所以叫「紀傳體」，是因為其書以記帝王行事的「紀」與記將相群臣行事的「傳」為主體。歸於「正史」的「二十五史」即屬紀傳體。其中為世人推崇的是「前四史」，即《史記》《漢書》《後漢書》《三國志》，而尤以《史記》《漢書》地位最高。「編年體」史籍，最具代表性的是《資治通鑑》。「紀事本末體」則以袁樞《通鑑紀事本末》為最著名。以下重點介紹這幾部代表性著作。

（1）司馬遷《史記》

《史記》是司馬遷（前145-前90）的私家撰述，但司馬遷身居太史令之職，所據多官方檔案。同時司馬遷是史官世家，故他的著作也最能體現傳統史家的精神。《史記》是中國第一部紀傳體通史。所記起自傳說中的黃帝時代，迄於漢武帝元狩元年（前122年）。上下三千餘年的歷史變遷、王朝更替，皆備於其中。

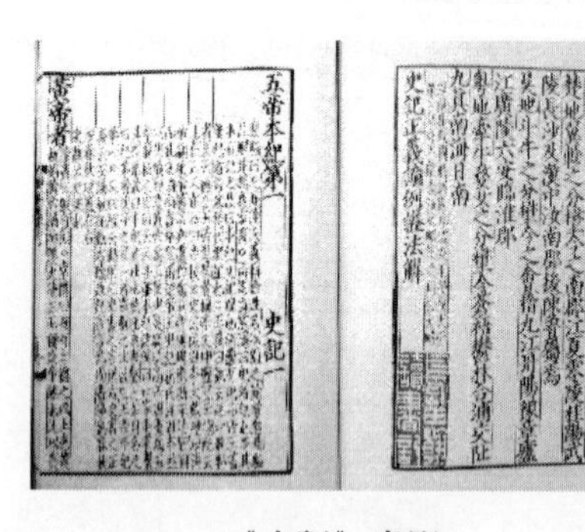

《史記》書影

《史記》有五種體例，一是「本紀」。主記帝王的歷史，共十二篇。張守節《史記正義》云：「本者，繫其本係，故曰本；紀者，理也，統理眾事，繫之年月，名之曰紀。」這個解釋影響很大，其實並不準確。「本」是根本的意思，「紀」是綱紀的意思。因這一部分所記的是帝王史、皇家史，是一代之根本與綱紀所在，對諸侯國而言，王室就是「本」，對天下而言，則又是綱紀，故稱「本紀」，如《夏本紀》《周本紀》《高祖本紀》等。到《漢書》則去掉了「本」，只剩了一個「紀」字。大概是因諸侯消失，不必強調「本」的意義了。

二是「表」。司馬貞《史記索隱》引應劭云：「表者，錄其事而見之。」張守節《史記正義》云：「表者，明也，明言事儀。」其實意思都差不多，即讓事情簡單明瞭。具體表現形式就是表格。《史記》中有十表，分三種，即「世表」、「年表」、「月表」，皆按時間順序排列人事，反映歷史變遷。這一部分內容可讀性很差，但對於歷史研究卻很重要，它是對「本紀」的補充，是《史記》其他部分無法表現而又不可缺少的內容。這些用文字敘述起來很麻煩，但用表格則可一目了然。如《三世表》《十二諸侯年表》《六國表》等，都是把複雜的問題，用表格的方式來處理，也可與其他部分相互闡發。

三是「書」。「書」是著的意思，即許慎所說的「著之竹帛謂之書」，這一部分重在著錄典章制度。到《漢書》則改稱為「志」。《史通・書志》云：「夫刑法、禮樂、風土、山川，求諸文籍，出於『三禮』。及班、馬著史，別裁書志，考其所記，多效《禮經》，且紀傳之外，有所不盡，只事片文，於斯備錄。語其通博，信作者之淵海也。」《史記》中有八書：《禮書》《樂書》記述禮樂制度，《律書》記述音律、法律，《曆書》記述曆法演變，《天官書》記天文星象，《封禪書》記歷代封禪祭祀，《河渠書》記河流水道與水利工程，《平準書》記漢經濟發展。這八書是研究先秦漢初制度及文化古史的重要資料，極大地拓寬了後世治史的視野，其創建之功大大超過了其內容本身。

四是「世家」，即「世代相襲之家」的意思。這是專為諸侯設立的，共三十篇，記載了春秋以來各諸侯的歷史變遷，以及世襲的勳臣家族史。如《晉世家》《楚世家》《魯世家》等，就是記諸侯國歷史的。像《蕭相國世家》《曹相國世家》等，則是記勳臣家室的。其中最為後人所關注的是《孔子世家》與《陳涉世家》。此二人既非諸侯，也非勳臣，所以被列入世家者，一是因前者為文化巨人，「孔子布衣，傳十餘世，學者宗之。自天子王侯，中國言六藝者折中於夫子，可謂至聖矣」。一因後者首起抗秦，「陳勝雖已死，其所置遣侯王將相竟亡秦，由涉首事也。高祖時為陳涉置守冢三十家碭，至今血食」。這反映了司馬遷的歷史觀及其卓識。

五是「列傳」，即人物傳記，共七十篇，記述了從周初到漢武帝時數百位在歷史上產生過影響的人物。這是《史記》分量最重、最神采飛揚的一部分。其中有專傳，如《李將軍列傳》等；有合傳，如《廉頗藺相如列傳》等；有類傳，如《刺客列傳》等。司馬遷「不虛美，不隱惡」的精神，為後世史家樹立了榜樣，而其創立的紀傳體，也成為史家典範。故鄭樵《通志總序》云：「百代而下，史官不能易其法，學者不能舍其書。六經之後，唯有此作。」

（2）班固《漢書》

班固（32-92）所著《漢書》是第一部紀傳體斷代史。因主記西漢歷史，故又稱《前漢書》。這部書撰始於班固之父班彪，班固是在他父親《史記後傳》的基礎上繼續進行的，書稿未竟而死於獄中，由他的妹妹班昭與同郡馬續最終完成。時間前後長達三四十年，文稿達八十多萬字。《漢書》在體例上繼承了《史記》的紀傳體而略有改動。改「本紀」為「紀」，改「列傳」為「傳」，改「書」為「志」，並「世家」入「傳」。全書分十二紀、八表、十志、七十傳。八表中較特殊的是：《異姓諸侯王表》，列自舜禹始；《百官公卿表》，記錄了秦漢官僚制度及官僚的變遷；《古今人物表》，將太昊以來兩千餘歷史人物分品按時列入表中。這些都超越了斷代史的範圍，保存了一筆先秦史料。其內容最豐富也最具有學術價值的是「十志」。「十志」是在《史記》「八書」的基礎上形成的，分別是：《律曆志》（關於曆法與度量衡制度的）、《禮樂志》（關於禮樂制度的）、《刑法志》（關於法律制度的）、《食貨志》（關於土地、貨幣等經濟制度的）、《郊祀志》（關於君王祭祀的）、《天文志》（關於天象觀測的）、《五行志》（關於五行運行與災異的）、《地理志》（關於地理區劃與山川物產風俗人口的）、

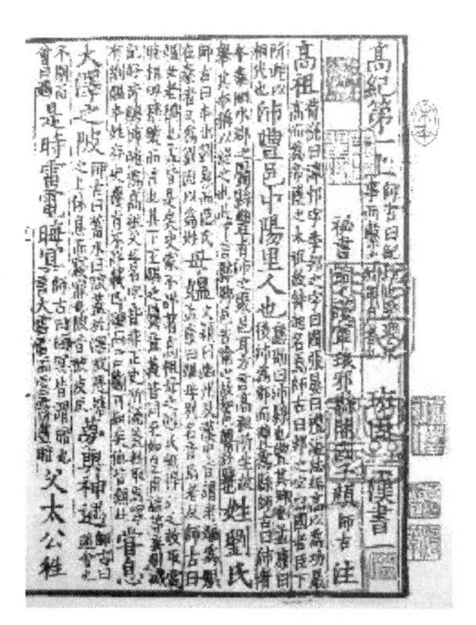
高紀第一上
漢書一
師古注
高祖沛豐邑中陽里人也
姓劉氏
母媼
嘗息大澤之陂
夢與神遇
是時雷電晦冥
父太公往

《漢書》書影

《溝洫志》（關於水利的）、《藝文志》（關於文獻圖書的）等。其中《刑法志》《五行志》《地理志》《藝文志》四志為新創，而這四志在文化史上都有絕高的價值。如《五行志》記錄了先秦以來的許多異常現象，像成帝河平元年（前28年）三月乙未，「日出黃有黑氣，大如錢，居日中央」，被認為是世界上最早的關於太陽黑子的記載；像成帝永始元年（前16年）春，「北海出大魚，長六丈，高一丈，四枚。哀帝建平三年，東萊平度出大魚，長八丈，高丈一尺，七枚，皆死」，被認為是鯨魚集體自殺的最早記載；像成帝建始元年（前32年）四月辛丑夜，「西北有如火光，壬寅晨，大風從西北起，雲氣赤黃，四塞天下。終日夜，下著地者，黃土塵也」，被認為是沙塵暴的最早記載。像成帝河平二年（前27年）正月，「沛郡鐵官鑄鐵，鐵不下，隆隆如雷聲，又如鼓音。工十三人驚走。音止，還視地，地陷數尺，爐分為十，一爐銷鐵散如流星，皆上去」，被認為是煤炭冶煉爆炸的記錄。這些對於研究科學技術史都是很有價值的資料。如《藝文志》，其對各種學派淵源的探討，已成為今天研究漢以前學術史最為

重要的文獻，有不少學者為之注疏、考證。如《地理志》，以疆域、政區為綱，記述了103個郡國所轄的1587個縣的建置，以及郡縣的戶口、山川、物產和名勝情況。像其中記高奴縣「有洧水可燃」，即最早關於石油的記載。

《史記》與《漢書》，從體裁與性質兩個方面確定了正史的編纂體例。屬通史者，如李延壽《南史》《北史》，薛居正《舊五代史》，歐陽修《新五代史》等。屬斷代史者，如范曄《後漢書》、陳壽《三國志》以及其後的新舊《唐書》《宋史》《明史》《清史稿》等。

（3）司馬光《資治通鑑》

《資治通鑑》是司馬光（1019-1086）傾盡心血撰成的一部編年體通史。這部書上起周威烈王二十三年（前403年），下迄五代後周世宗顯德六年（959年），記載了1362年的歷史。內以朝代劃割，分為《周紀》《秦紀》《漢紀》等十六個部分，總計294卷。司馬光撰《通鑑》的目的十分明確，就是要「鑑前世之興衰，考當今之得失」（《進資治通鑑表》）、「窮探治亂之跡，上助聖明之鑑」（《謝賜資治通鑑序表》）。歷代正史，卷帙浩繁，如從《史記》到《五代史》，多達1500卷。一卷四丈，就長達六千丈，折合成米，則可達19800米，將近20公里長。這樣長的書卷，人主自然「不能遍覽」，故而要特意把「關國家盛衰，繫民生休戚，善可為法，惡可為戒者」編為一書。（司馬光《進資治通鑑表》）「資治通鑑」一名是宋英宗所

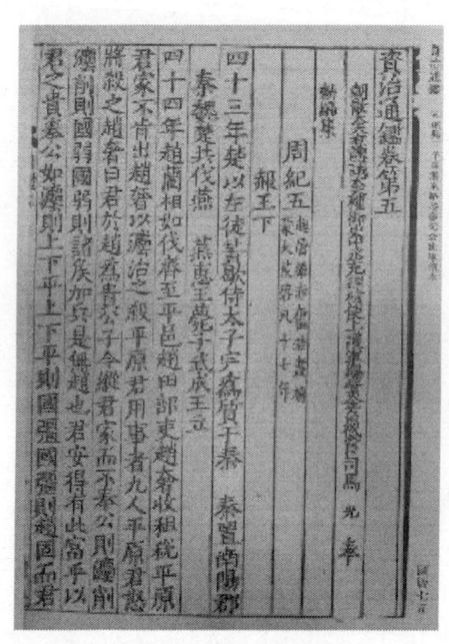
資治通鑑卷第五
司馬光 奉
周紀五
赧王下
四十三年楚以左徒黃歇侍太子完爲質于秦 秦置南陽郡
秦魏楚共伐燕 燕惠王薨子武成王立
四十四年趙藺相如伐齊至平邑趙田部吏趙奢收租稅平原
君家不肯出趙奢以灋治之殺平原君用事者九人平原君怒
將殺之趙奢曰君於趙爲貴公子今縱君家而不奉公則灋削
灋削則國弱國弱則諸侯加兵是無趙也君安得有此富乎以
君之貴奉公如灋則上下平上下平則國彊國彊則趙固而君

《資治通鑑》書影

賜。書未成先有名，實際上也是一個作文題目。因為目的明確，因而在書中司馬光很注意闡發自己的政治見解，用史學家的眼光觀照歷史是非得失，以期影響皇帝。全書史論186篇，84篇轉引歷代史學家之論，102篇為司馬光所作。司馬光於治平二年（1065年）受詔，到元豐七年（1084年）十二月戊辰書成奏上，歷時十九年。此書所採文獻，正史之外，雜史多達二百二十二種。有人曾在洛陽見到《資治通鑑》的草稿，竟多達兩屋子。據司馬光自己說：「臣既無他事，得以研精極慮，窮竭所有，日力不足，繼之以夜，遍閱舊史，旁採小說，簡牘盈積，浩如煙海，抉擿幽隱，校計毫釐。」(《進資治通鑑表》)用力之勤，可想而知。據范祖禹《司馬溫公布衾銘》說：司馬光曾以圓木為警枕，「少睡則枕轉而覺，乃起讀書。」為了撰成此書，司馬光先組織人採摭異聞，按年月日編出了《資治通鑑叢目》，《叢目》編成後又編《長編》，《長編》的原則是寧繁勿略。然後在《長編》的基礎上刪削而成《資治通鑑》。

《資治通鑑》是編年史中的傑作，故仿作、補作者甚多。劉恕撰《通鑑外紀》，以補《資治通鑑》未記載的上半段歷史。清人徐乾學撰《資治通鑑後編》184卷，續記宋、元歷史。畢沅等人又撰《續資治通鑑》220卷，記宋、元更詳。後人編有《正續資治通鑑》，即合司馬光、畢沅兩書而成。夏燮撰《明通鑑》，今人戴逸等編《清通鑑》。這幾部書建構起了一部系統的中國編年史。

（4）袁樞《通鑑紀事本末》

袁樞（1131-1205），字機仲，建安人，孝宗初試禮部，詞賦第一，歷官至工部侍郎，以右文殿修撰知江陵府。曾與朱熹、呂祖謙、楊萬里等有交往。《通鑑紀事本末》是他在《資治通鑑》基礎上的一個新創造。全書42卷，只是《通鑑》的七分之一，而《通鑑》精華概於其

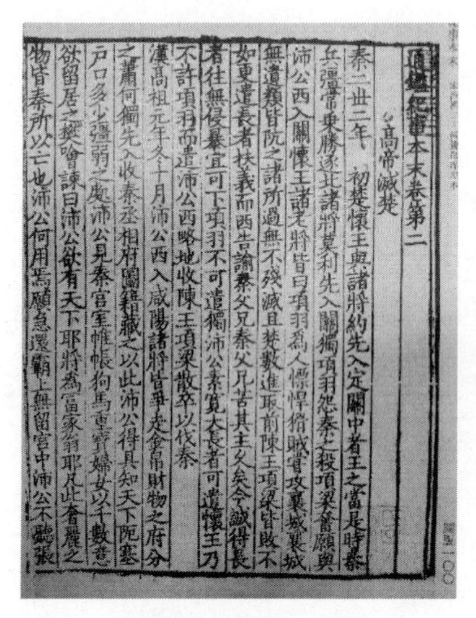

通鑑紀事本末卷第二

高帝滅楚

秦二世二年初楚懷王與諸將約先入定關中者王之當是時秦
兵彊常乘勝逐北諸將莫利先入關獨項羽怨秦之殺項梁奮願與
沛公西入關懷王諸老將皆曰項羽為人慓悍猾賊嘗攻襄城襄城
無遺類皆阬之諸所過無不殘滅且楚數進取前陳王項梁皆敗不
如更遣長者扶義而西告諭秦父兄秦父兄苦其主久矣今誠得長
者往無侵暴宜可下項羽不可遣獨沛公素寬大長者可遣懷王乃
不許項羽而遣沛公西略地收陳王項梁散卒以伐秦
漢高祖元年冬十月沛公西入咸陽諸將皆爭走金帛財物之府分
之蕭何獨先入收秦丞相府圖籍藏之以此沛公得具知天下阸塞
戶口多少彊弱之處沛公見秦宮室帷帳狗馬重寶婦女以千數意
欲留居之樊噲諫曰沛公欲有天下耶將為富家翁耶凡此奢麗之
物皆秦所以亡也沛公何用焉願急還霸上無留宮中沛公不聽張

《通鑑紀事本末》書影

中了。袁樞主要考慮到《資治通鑑》一是篇幅大，二是事為年隔，不能首尾一貫，故而創建了以事件為中心記述歷史的「紀事本末體」，他將從周威烈王到下迄五代後周1300多年間發生的歷史事件，歸納為239個專題，將原先分散的敘述集中起來，使事件的來龍去脈，一覽可知。像戰國兩百多年的紛亂，只用了《三家分晉》《秦併六國》兩個專題。像安史之亂，在《資治通鑑》中被分割於九卷之中，而此則用《安史之亂》概括。在袁樞的組織專題中，明顯地體現出了他的用心。如《祖逖北伐》《趙魏亂中原》《元魏寇宋》《宋文圖恢復》《宋明帝北伐》等，這類題目多達八十五個，占到了全書的三分之一，顯然這是有感於南宋時期的民族矛盾而設立的專題。故朱熹《跋通鑑紀事本末》稱「其部居門目，始終離合之間，又皆曲有微意」。宋孝宗讀後也感歎道：「治道盡在是矣！」(《宋史・袁樞傳》)

與《資治通鑑》的情形大略相似，繼袁書出後，上接下續者很多。基本上能成為系統的主要有，明陳邦瞻撰《宋史紀事本末》《元史紀事本末》，清李有棠撰《遼史紀事本末》《金史紀事本末》，清谷應泰撰《明史紀事本末》，民國時黃鴻壽撰《清史紀事本末》。馬驌的《繹史》則補上古至秦一段歷史。

以上介紹的幾部書，在史學史上地位很高，但對一般人來說，因其量大，多難通讀。如《漢書》只記兩百餘年的歷史，字數就多達八十餘萬。《資治通鑑》與《通鑑紀事本末》也都卷帙浩繁，多達數百卷。從方便閱讀的角度考慮，明袁黃（袁了凡）《綱鑑》與清吳乘權等《綱鑑易知錄》，則是較好的歷史讀本。

（5）袁黃《綱鑑》

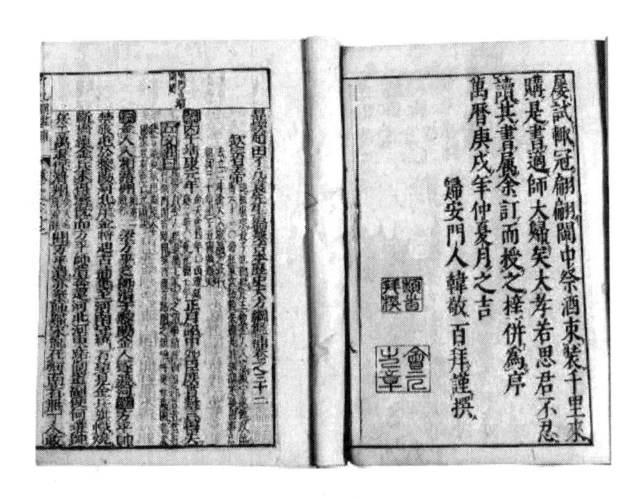
屢試輙冠翩翩闈中祭酒東裝千里來
購是書適師大歸矣大孝若思君不忍
讀其書屬余訂而授之梓併為序
萬曆庚戌年仲夏月之吉
歸安門人韓敬百拜謹撰

《綱鑑》書影

袁黃（1533-1606），初名表，後改名黃，字慶遠，又字坤儀、儀甫。初號學海，後改為了凡，人稱了凡先生。江蘇吳江人，一說浙江嘉善人。朱鶴齡《愚庵小集》卷十五《贈尚寶少卿袁公傳》曰：「公自言生平得力靜坐，然其學流入禪玄，好為三教合一之說。其以『兩行』名集，亦取老氏有無雙行之旨。故與管公東溟深契。而說書義解，多與先儒牴牾。然其砭訛發覆，則俗學所未有也。語云通天地人之謂儒，公雖未為醇儒也，獨不得謂之通儒乎。」袁氏著述甚豐，《綱鑑》則是流傳最廣的一部。清張宜明編通俗讀物《三字鑑》，其中說：「袁了凡，作《綱鑑》，詳簡宜，可觀看。」其書又稱《歷史大方綱鑑補》，共39卷，是參考先儒如司馬光《資治通鑑》、劉恕《通鑑外紀》、金履祥《通鑑前編》、朱熹《通鑑綱目》等編輯而成的一部通

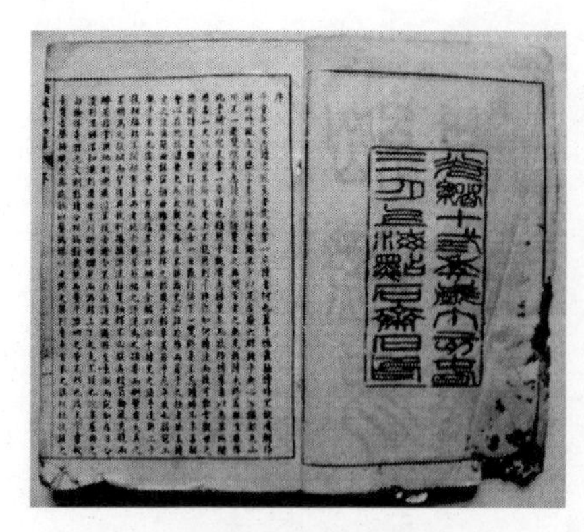

《綱鑑易知錄》書影

俗歷史書。書上起盤古開天地，下迄元亡，簡述歷代治亂興廢、制度沿革、土地分併等，「無補於民彝世教者」，一概不錄，目的是「不使小德細行得溷正史」。記載的時間比《資治通鑑》長好幾倍，而字數卻僅為《資治通鑑》的九分之一，這對讀者來說自然非常便利。袁氏說：「作史其文貴約而該。約則覽易遍，該則事弗遺。今刪繁蕪，補闕略，一事必究其巔末，一人必詳其出處。」這是他的一個原則。書名為「綱鑑」，綱挈大義，鑑悉事由。同時輯有歷代上百家的相關評論文字，對於研究者也有一定參考價值。

（6）吳乘權等《綱鑑易知錄》

《綱鑑易知錄》與《綱鑑補》是同一類的書，作者是吳乘權、周之炯、周之燦三人。吳乘權字楚材，浙江山陰人，《古文觀止》的選編者，名氣最大，故一般只提他一人。《綱鑑易知錄》上起盤古，下迄明末，數千年歷史，僅編得107卷。吳氏等總結了先前綱目之類著作的經驗，以簡明易讀為主旨，力刪繁冗，直敘史實，故為一般讀者所歡迎。

2 典志

「典」本指典冊，因早期典冊所記多為訓誥規章之類，是人們行為所當依循的規則，因此「典」引申後含禮、法的意思。《周禮》中有治典、教典、禮典、政典、刑典、事典等六典，即指六個方面的制度法規。「志」是記的意思。「典志」即指記載歷代典章制度的史籍。像《周禮》《禮記》中的《明堂位》、《史記》的八書、《漢書》的十志等，都是這方面重要的早期著作。《四庫全書總目》將這方面的專門著作歸於「政書」、「職官」兩類。像「十通」(《通典》《通志》《文獻通考》《續通典》《續通志》《續文獻通考》《清朝通典》《清朝通志》《清朝文獻通考》《清朝續文獻通考》)、「會典」(如《唐六典》《元典章》《明會典》《清會典》等)、「會要」(如《春秋會要》《秦會要》《西漢會要》《東漢會要》等)等，均屬典志性質，歷代政治、經濟、軍事、文化等制度方面的資料皆存於其中。其中《通典》《通志》和《文獻通考》成就最高，世稱「三通」，是史學研究者必備的工具書。

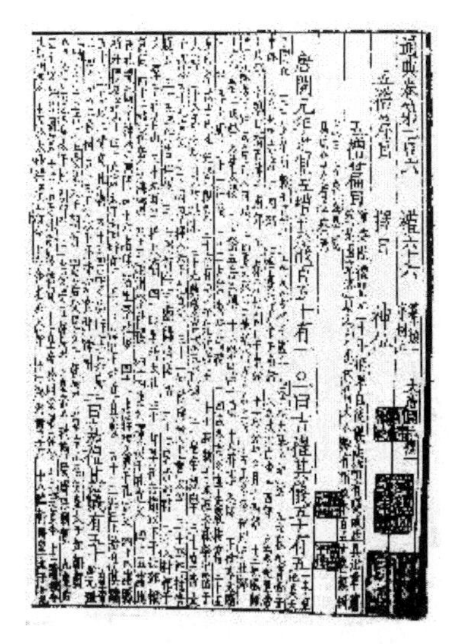

《通典》書影

(1) 杜佑《通典》

《通典》是我國第一部系統記載歷代典章制度的通史（上起上古，下迄唐代中期）。作者杜佑（735-812），字君卿，唐京兆萬年（今陝西西安）人。20歲左右步入仕途，曾做過地方長官與中央政府高級官員，後任德宗、順宗、憲宗三朝宰相，78歲因病退休，不久去世。《通典》全書200卷，分為食貨、選舉、職官、禮、樂、兵、刑、州郡、邊防九典。每典之下又分若干子目，如「食貨典」下分田制、鄉黨、賦稅、歷代盛衰戶口、錢幣、漕運鹽鐵等十餘類。全書約1580餘目，正文多達170萬字，注文約20萬字，內容十分廣博，被譽為中國第一部典章制度的百科全書，是研究中國歷史不可多得的工具書。此書開始寫作於唐代宗大曆元年（766年）左右，德宗貞元十七年（801年）完成，歷經整整三十五年的時間，可以說傾注了作者大半生的心血。杜佑撰此書的目的，用他自己的話說，是要「實採群言，徵諸人事，將施有政」(《通典自序》)。「歷代眾賢著論，多陳紊失之弊，或闕匡拯之方」，而「往昔是非，可為來今龜鏡」(《舊唐書》本傳)，故他要通過對歷代典章制度的系統研究，來尋求「匡拯之方」。他在自序中說：「夫理道之先在乎行教化，教化之本在乎足衣食。《易》稱聚人曰財。《洪範》八政，一曰食，二曰貨。《管子》曰：『倉廩實，知禮節；衣食足，知榮辱。』夫子曰：『既富而教。』斯之謂矣。夫行教化在乎設職官，設職官在乎審官才，審官才在乎精選舉。制禮以端其俗，立樂以和其心，此皆先哲王致治之大方也。故職官設然後興禮樂焉，教化隳然後用刑罰焉，列州郡俾分領焉，置邊防遏戎狄焉。是以食貨為之首，選舉次之，職官又次之，禮又次之，樂又次之，刑又次之，州郡又次之，邊防末之。或覽之者，庶知篇第之旨也。」可見其志嚮之大，用心之苦。有人批評《通典》二百卷中《禮典》就占去了一百卷，以為全局失衡之感，其實這也正是杜佑深心之所在，即所謂「制禮以端其俗」者。

（2）鄭樵《通志》

《通志》是繼杜佑《通典》之後的又一部典制通史。鄭樵（1104-1162）是一位通才，他從十六歲開始，即謝絕人事，閉門讀書，「欲讀古人之書，欲通百家之學，欲討六藝之文，而為羽翼」(《夾漈遺稿》卷二《獻皇帝書》)。他無心仕進，深居夾漈山讀書、講學三十年，人稱夾漈先生。著作多達八十餘種。他對歷史上的通才如司馬遷等很推崇，而對於像班固那樣只研究一代而不知會通者，則瞧不起，故稱班固為「浮華之士也，全無學術」(《通志總序》)。《四庫全書總目》將《通志》列入「別史」，因為其書中「帝紀」與「列傳」占了很大的比例，相當於一部從上古到唐的通史。但是，這所謂「紀傳」的部分，都是抄自前代史書的，而其中的「二十略」，才是他的創作，即如鄭樵自己所說：「總天下之大學術，而條其綱目，名之曰略，凡二十略。百代之憲章，學者之能事，盡於此矣！」(《通志總序》）這二十略是：《氏族略》《六書略》《七音略》《天文略》《地理略》《都邑略》《禮略》《謚略》《器服略》《樂略》《職官略》《選舉略》《刑法略》《食貨略》《藝文略》《校讎略》《圖譜略》《金石略》《災祥略》《昆蟲草木略》等，涉及學術史、制度史、社會史、文化史、生物學、語言學等多個方面。鄭樵稱：「其五略漢唐諸儒所得而聞，其十五略漢唐諸儒所不得而聞也。」如《氏族略》，將姓氏來源區分為三十二類，如以國為氏、以邑為氏、以鄉為氏、以地為氏，等等，並具體對一千多個姓氏的由來作了分析，提出了研究中國姓氏沿革的基本原理。像《都邑略》記載了上古至隋歷代王朝、諸侯、四夷之國建都的地理位置及其選擇原因、遷徙情況等。總之，此書拓展了書志的範圍，豐富了歷史研究課題，是研究歷史不可不讀的書。

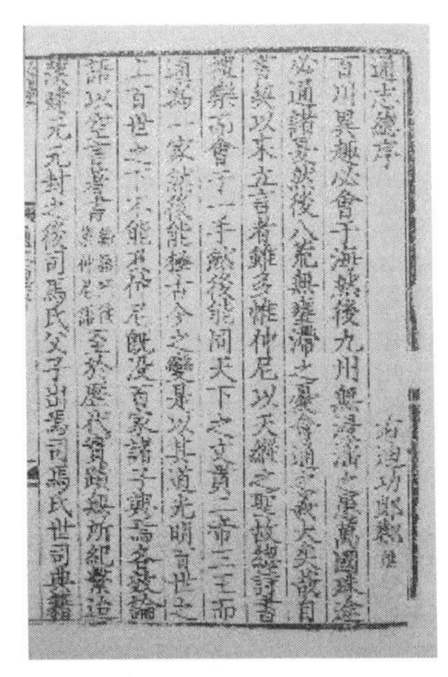
通志總序　右迪功郎鄭樵　撰
百川異趨必會于海然後九州無浸淫之患萬國殊途
必通諸夏然後八荒無壅滯之憂會通之義大矣哉自
書契以來立言者雖多惟仲尼以天縱之聖故總詩書
禮樂而會于一手然後能同天下之文貫二帝三王而
通為一家然後能極古今之變是以其道光明百世之
上百世之下不能及仲尼既沒百家諸子興焉各效論
語以空言著書至於歷代實跡無所紀繫迨
漢建元元封之後司馬氏父子出焉司馬氏世司典籍

《通志》書影

（3）馬端臨《文獻通考》

《文獻通考》是馬端臨（1254-1323）用二十年的工夫完成的一部典制通史。馬端臨，字貴輿，號竹洲，樂平人。父廷鸞為右丞相，

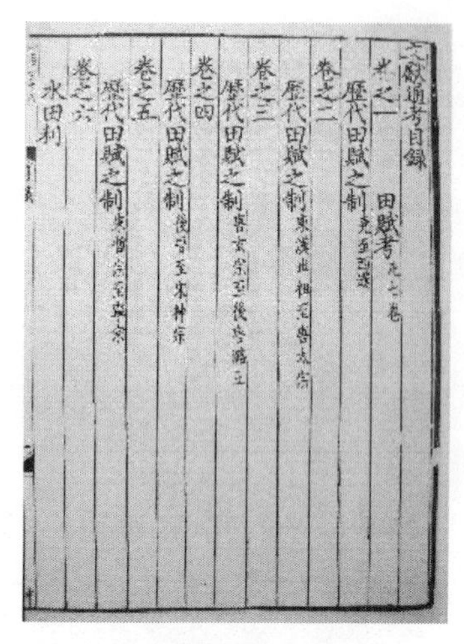
文獻通考目錄
卷之一　田賦考
歷代田賦之制
卷之二
歷代田賦之制
卷之三
歷代田賦之制
卷之四
歷代田賦之制
卷之五
歷代田賦之制
卷之六
水田利

《文獻通考》書影

以蔭補承事郎。元初起為柯山書院山長，終台州州學教授，鄉里遠近師之。馬端臨博覽群書，貫通古今，因其父曾居史官之職，故家中藏書甚多，這為馬端臨的學術生涯準備了充足的條件。他著有《大學集注》《多識錄》等，而最負盛名之作則是《文獻通考》。這部書賅博過於杜佑《通典》，全書348卷，共二十四門：《田賦考》《錢幣考》《戶口考》《職役考》《征榷考》《市糴考》《土貢考》《國用考》《選舉考》《學校考》《職官考》《郊社考》《宗廟考》《王禮考》《樂考》《兵考》《刑考》《經籍考》《帝系考》《封建考》《象緯考》《物異考》《輿地考》《四裔考》。自《經籍》至《物異》等五門為《通典》所無。書的內容起自上古，下迄南宋寧宗嘉定年間，可說是《通典》的擴大與續作。從命名上看，「通典」是對舊制的系統整理，而「通考」則介入了自己的思想與看法。馬氏在自序中說：「凡敘事，則本之經史，而參之以歷代會要，以及百家傳記之書，信而有證者從之，乖異傳疑者不錄，所謂『文』也。凡論事，則先取當時臣僚之奏疏，次及近代諸儒之評論，以至名流之燕談，稗官之紀錄，凡一話一言，可以訂典故之得失、證史傳之是非者，則採而錄之，所謂『獻』也。其載諸史傳之紀錄而可疑，稽諸先儒之論辨而未當者，研精覃思，悠然有得，則竊著己意，附其後焉。」這就是他取名為《文獻通考》的原因。他的目的是要「有志於經邦稽古者，或有考焉」。四庫館臣謂其「雖稍遜《通典》之簡嚴，而詳贍實為過之，非鄭樵《通志》所及也」。清儒阮元提倡讀「二通」，即《資治通鑑》與《文獻通考》。讀了《通鑑》則知朝代更替，讀了《通考》則知歷代制度。曾國藩也特別看重《文獻通考》。他在《經史百家雜鈔》中，把《文獻通考》的二十四個門類的二十四篇序全部收錄，還要他的兒子熟讀《文獻通考·序》，其書之重要可想而知。

這三部書的影響，表現在其續書上。通典系統有乾隆三十二年（1767年）官修的《續通典》與《清朝通典》。《續通典》記載唐肅宗至明末的典制，《清朝通典》記載清初至乾隆中期的典制。三書並稱「三通典」。通志系統有乾隆時官修的《續通志》與《清朝通志》。《續通志》記載唐初至明末的典制，《清朝通志》記載清初至乾隆末年的典制。三書並稱「三通志」。通考系統有乾隆官修《續文獻通考》與《清朝文獻通考》，還有劉錦藻編的《清朝續文獻通考》。《續文獻通考》記載南宋寧宗嘉定年間至明神宗萬曆初年典制，《清朝文獻通考》記載清初至乾隆五十年（1785年）的典制，《清朝續文獻通考》記載乾隆五十一年（1786年）至宣統三年（1911年）的典制。四書合稱「四通考」。

（4）秦蕙田《五禮通考》

典志之書除「三通」最為世重之外，曾國藩還特別提到過秦蕙田的《五禮通考》。他在給其弟國荃的一封信中說：「學問之道，能讀經史者為根底，如『兩通』（杜氏《通典》、馬氏《通考》）、『兩衍義』及『本朝兩通』（徐乾學《讀禮通考》、秦蕙田《五禮通考》）皆萃六經諸史之精，該內聖外王之要。若能熟此六書，或熟其一二，

五禮通考卷第一百十四
吉禮一百十四
大夫士廟祭
戰國策馮煖誡孟嘗君曰願請先王之祭器立宗廟於
薛廟成還報孟嘗君
隋書禮儀志後齊王及五等開國執事官散官從二品
已上皆祀五世五等散品及執事官散官正三品已下
從五品已上祭三世三品已上牲用一太牢五品已下
少牢執事官正六品已下從七品已上祭二世用特牲
正八品已下達於庶人祭於寢牲用特肫或亦祭祖禰
諸廟悉依其宅堂之制其間數各依廟多少為限其牲

《五禮通考》書影

即為有本有末之學。」[1]又曾說此書「舉天下古今幽明萬事，而一經之以禮」[2]。「秦樹澧氏遂修《五禮通考》，自天文、地理、軍政、官制，都萃其中。旁綜九流，細破無內。國藩私獨宗之。惜其食貨稍缺，嘗欲集鹽漕賦稅、國用之經，別為一編，傳於秦書之次。」[3]秦蕙田，字樹峰，金匱人。乾隆丙辰進士，官至刑部尚書。謚文恭。此書依《周禮》吉、凶、賓、軍、嘉立為五綱，將歷代典章制度一一收入。《四庫全書總目》云：「是書因徐乾學《讀禮通考》惟詳『喪葬』一門，而《周官・大宗伯》所列五禮之目，古經散亡，鮮能尋端竟委，乃因徐氏體例，網羅眾說，以成一書。凡為類七十有五，以樂律附于吉禮宗廟制度之後；以天文推步、句股割圓，立『觀象授時』一題統之；以古今州國都邑山川地名，立『體國經野』一題統之；並載入《嘉禮》……其他考證經史，原原本本，具有經緯，非剽竊餖飣，掛一漏萬者可比。」此書《四庫全書總目》列入經部，實屬典章類著作，因為它遠遠超出了《周禮》的範圍。

3 史評

史評是關於史學理論與批評的著作。這部分著作既對史著起著監督作用，同時也體現著史學的發展水準，它最能體現史家的眼光與見識，以及對史學的理論思考。在《四庫全書總目》的史評類中，大約包括了三個方面的內容，一是歷史批評與評論，二是史籍考訂，三是史學理論研究。關於歷史批評與評論的著作，數量甚多，立說甚雜。故四庫館臣於《史評類敘》中云：「至於品騭舊聞，抨彈往跡，則才繙史略，即可成文，此是彼非，互滋簧鼓，故其書動至汗牛。」關於

1 〔清〕曾國藩：《曾國藩全集・家書》，393頁，長沙，嶽麓書社，1985。
2 〔清〕曾國藩：《曾國藩全集・詩文》，250頁，長沙，嶽麓書社，1986。
3 〔清〕曾國藩：《曾國藩全集・詩文》，256頁，長沙，嶽麓書社，1986。

史學理論與史籍的著作，館臣則云：「其中考辨史體，如劉知幾、倪思諸書，非博覽精思不能成帙，故作者差稀。」唐劉知幾有《史通》，是史學理論的；宋倪思有《班馬異同》，是屬考據。其實這兩種書，性質完全不同，見解高下也相懸殊，四庫館臣取以並論，實為不當。這裏主要講的是史學理論研究。在這方面最值得推舉的有兩部書，即劉知幾的《史通》與章學誠的《文史通義》。

（1）劉知幾《史通》

劉知幾所撰《史通》，是中國史學史上一部劃時代的理論性著作。梁啟超在《過去之中國史學界》一文中言：「自左丘、司馬遷、班固、荀悅、杜佑、司馬光、袁樞諸人，然後中國始有史；自有劉知幾、鄭樵、章學誠，然後中國始有史學矣！」劉知幾（661-721），字子玄，唐彭城人。高宗永隆元年（680年）舉進士，歷任著作佐郎、左史、著作郎、秘書少監、太子左庶子、左散騎常侍等職，兼修國史。在史官之任近三十年，參與撰修了《唐書》《武后實錄》《氏族志》《姓族系錄》《睿宗實錄》《則天實錄》《中宗實錄》等多項工作，因而史學造詣極深。中宗景龍二年（708年）辭職，撰《史通》內外49篇20卷。其內篇對於史籍編纂的體裁、體例，史料的鑑別、採摘，史書的原則以及文字表述等，作了系統論述；外篇則論述史官建置、史籍源流並雜評史家得失。最值得注意的是他提出的「六家二體」

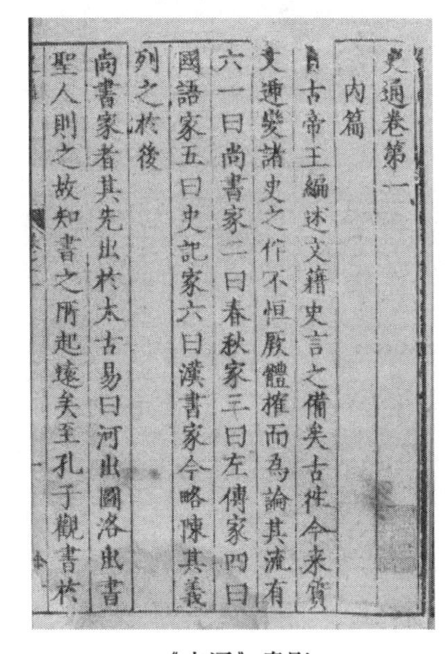
史通卷第一
內篇
自古帝王編述文籍史言之備矣古往今來質
文遞變諸史之作不恒厥體榷而為論其流有
六一曰尚書家二曰春秋家三曰左傳家四曰
國語家五曰史記家六曰漢書家今略陳其義
列之於後
尚書家者其先出於太古易曰河出圖洛出書
聖人則之故知書之所起遠矣至孔子觀書於

《史通》書影

說。他在《史通．六家》中云：「古往今來，質文遞變，諸史之作，不恒厥體。榷而為論，其流有六：一曰《尚書》家，二曰《春秋》家，三曰《左傳》家，四曰《國語》家，五曰《史記》家，六曰《漢書》家。」這六家時有先後，體裁各別。《尚書》是記言，《春秋》是記事，《左傳》是編年，《國語》是國別，《史記》是通史，《漢書》是斷代。他又指出：「《尚書》等四家，其體久廢，所可祖述者，唯左氏及《漢書》二家而已。」所謂二體，是指編年體與紀傳體，編年備於《左傳》，紀傳創自《史記》，故云：「既而丘明傳《春秋》，子長著《史記》，載筆之體，於斯備矣……蓋荀悅、張璠，丘明之黨也；班固、華嶠，子長之流也。」（《二體》）「六家二體」是劉知幾對以往史籍的總結。「六家」是對以往史籍不同性質的概括，「二體」則確定了以後國史編纂的基本體裁。故《史通．通釋舉要》言：「六家二體」這四個字，「千古史局不能越」。同時他又把史籍分為「正史」與「雜史」兩種：編年體史籍與紀傳體史籍皆為「正史」；「雜史」則有十種：「一曰偏記，二曰小錄，三曰逸事，四曰瑣言，五曰郡書，六曰家史，七曰別傳，八曰雜記，九曰地理書，十曰都邑簿。」（《雜述》）雜史「得失紛糅，善惡相兼」，去取自須慎重。四庫館臣稱：「子玄於史學最深，又領史職幾三十年，更曆書局亦最久。其貫穿今古，洞悉利病，實非後人之所及。」

（2）章學誠《文史通義》

章學誠（1738-1801），字實齋，會稽（今浙江紹興）人。乾隆四十三年（1778年）進士，官國子監典籍。著有《文史通義》《校讎通義》《札迻》《乙卯丙辰札記》《實齋文鈔》等。《文史通義》是他的一部力作，他曾自稱《文史通義》要「為千古史學闢其蓁蕪」（《與汪龍莊書》），並自信能「為後世開山」。習慣上多將《文史通義》與劉知幾的《史通》並論，但章學誠並不以為然，並說他與劉知幾「截然兩途，不相入也」（《家書二》），足見他的自負。但今觀其說，確可認定，《文史通義》一書代表了中國古代史學理論的高峰。

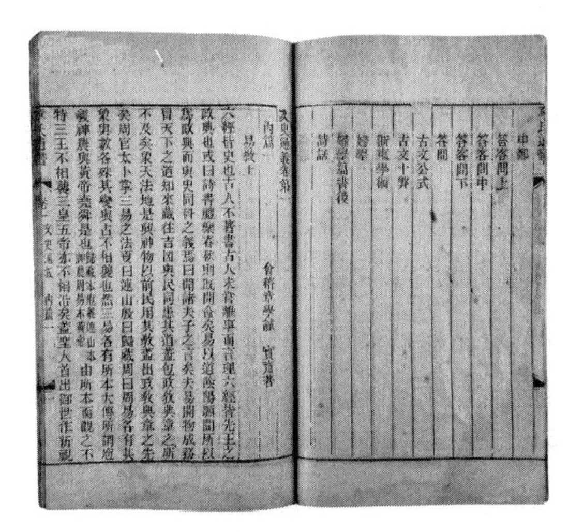

申鄭
答客問上
答客問中
答客問下
答問
古文公式
古文十弊
浙東學術
婦學
婦學篇書後
詩話

文史通義卷第一
內篇一
易教上
會稽章學誠實齋著

六經皆史也古人不著書古人未嘗離事而言理六經皆先王之
政典也或曰詩書禮樂春秋則既聞命矣易以道陰陽願聞所以
為政典而與史同科之義焉曰聞諸夫子之言矣夫易開物成務
冒天下之道知來藏往吉凶與民同患其道蓋包政教典章之所
不及矣象天法地是興神物以前民用其教蓋出政教典章之先
矣周官太卜掌三易之法夏曰連山殷曰歸藏周曰周易各有其
象與數各殊其變與占不相襲也然三易各有所本大傳所謂庖
羲神農與黃帝堯舜是也　由所本而觀之不
特三王不相襲三皇五帝亦不相沿矣蓋聖人首出御世作新視

《文史通義》書影

《文史通義》最可注意者有三：一是「六經皆史」論。漢宋以來，「六經」皆被作為經典來對待，明王陽明首此提出了「五經皆史」的觀點，但對此沒有作過多闡釋。章學誠接受了王氏的這一觀點，並把它作為一個重要的命題提了出來。他認為：「古人未嘗離事而言理，『六經』皆先王之政典也。」（《易教上》）「六經」並不是空言大道，大道便寓於先王的行事及政典之中。「古之所謂經，乃三代盛時典章法度見於政教行事之實，而非聖人有意作為文字以傳後世也。」（《經解上》）「事有實據而理無定形，故夫子之述『六經』，皆取先王典章，未嘗離事而著理。」（《經解中》）「夫子明教於萬世，夫子未嘗自為說也。表章六籍，存周公之舊典。」（《原道中》）舊典存下來，道也就存下來了。這裏表面上是對經的地位的否定，實是對史的地位的提升，因為他把史放到了與經同等的位置。「三代學術，知有史而不知有經，切人事也。」「史學之本於《春秋》，知《春秋》之將以經世。」（《浙東學術》）這其實就是說，「經史一體」，並無二致。

二是「史意」論。「史意」是與「史法」相對立的一個概念。史法指歷史編纂方法，如體裁、體例、結構、形式之類。「史意」則是指歷史著述中的思想性，史家的歷史見解、理論、價值取向都包含其中。章學誠在一封家書中就曾說他與劉知幾的不同在於「劉言史法，吾言史意；劉議館局纂修，吾議一家著述」（《家書二》）。這是說劉知幾注重外在的方法而忽略了史學內在的意義。所以，他在《史德》篇中強調：「史所貴者義也，而所具者事也，所憑者文也。」在《言公上》中又說：「作史貴知其意，非同於掌故，僅求事文之末也。夫子曰：『我欲托之空言，不如見諸行事之深切著明也。』此則史氏之宗旨也。」僅僅羅列史實，那是沒有意義的，一定要體現自己的價值取向。這才是「史氏之宗旨」。「史之大原，本乎《春秋》；《春秋》之義，昭乎筆削。筆削之義，不僅事具始末，文成規矩已也。以夫子『義則竊取』之旨觀之，固將綱紀天人，推明大道。」（《答客問上》）從這裏可以看出，他的「史意」論與他的「六經皆史」論是相通的。「六經皆史」強調的是經的史學意義，而「史意」論強調的是史如同經的「推明大道」意義。

三是「圓神方智」論。與劉知幾之分正史、雜史不同，章學誠「以圓神、方智定史學之兩大宗門」（《與邵二云論修宋史書》）。他在《書教下》篇云：「《易》曰：『蓍之德圓而神，卦之德方以智。』間嘗竊取其義，以概古今之載籍。撰述欲其圓而神，記注欲其方以智也。夫智以藏往，神以知來，記注欲往事之不忘，撰述欲來者之興起。故記注藏往似智，而撰述知來擬神也。藏往欲其賅備無遺，故體有一定，而其德為方；知來欲其抉擇去取，故例不拘常，而其德為圓。」「圓神」者為「撰述」之作，此類著作蘊含作者的思想與見識，對未來有啟發意義，也當是他所說的「推明大道」者，所以說是「知來」。「方智」者為「記注」之作，是按照一定的規則記錄或匯輯的史料長編之類，有備不忘的意義，所以說是「藏往」。這實際上是把研究學問分成了兩個不同的層次。能成一家之言，有高深的學術見解，對事物有規律性的把握，這便是「圓神」之作，是撰述。雖無「獨斷之學」，但有淵博之知，有收集之勤，有考核之功，這便是「方智」之作，是記注。「記注」是「撰述」的基礎。因此章氏又說：「圓神方智，自有載籍以還，二者不偏廢也。」(《書教下》)

此外，章氏關於「史德」的理論，關於「方志」的理論，皆為史學界所重，但主要成就其史學地位的則在以上三論。

第二節　地理方志與筆記野史

地理方志系統包括兩部分內容，一是記載歷代地理的「地志」，二是記載各地事物的「方志」。域地山川是人類生存的空間舞臺，歷史就發生在這個舞臺上，因而歷史地理方面的著作，歷史研究者歷來十分關注。《淮南子・泰族訓》言：「俯視地理，以制度量，察陵陸、水澤、肥墽、高下之宜，立事生財，以除飢寒之患。」周代有職方氏「掌天下之圖」，其任務之一是掌握各地「人民與其財用九谷六畜之數」。李吉甫《元和郡縣圖志》序云：「自黃帝之方制萬國，夏禹之分別九州。辨方經野，因人緯俗，其揆一矣。」王存等《進元豐九域志表》云：「先王建國，所以週知九州封域與其人民之數者，詔地事則有圖，詔觀事則有志，比生齒則有籍。」可知地理志類著作不只是記載地理沿革、郡縣設置，記載各地民情、物產也是其一項基本任務。「方志」則是專為記載各地情況而設的，所保存的民俗生活資料更為豐富。在古代人看來，這都是治理天下必不可少的工作。這部分史籍是今天研究古代社會史、民俗史不可缺少的資料。

1 地志

地理志方面的著作，著名者有以下幾種：

（1）《山海經》

《山海經》是一部最早的以記山川物產為主的地理著作。全書18卷，分《山經》《海經》《大荒經》三部分。《山經》分南、西、北、東、中五經；《海經》分海外南、西、北、東四經與海內南、西、北、東四經；《大荒經》亦如此。《山經》地理價值最高，記載了當時王朝所在地及東西南北四方的山川、動物、植物、礦產、民俗、神話等。《海經》與《大荒經》則記述了當時各地原始群體及風俗、歷史、神話等。此書傳說出自夏禹時，現在人都不大相信。但從具體情況分析，這個傳說應該是有根據的。《中山經》中所記的山川應該是當時王朝所在地即中心地區的山川，而其第一座山就是山西永濟的薄山，這與傳說中禹都安邑（在永濟）是完全吻合的。不過此書是在歷史中不斷增益的，形成現在的樣子，可能晚到了戰國，有個別地方還可能出自漢朝人之手。《山經》中所記載的山川水道大多是比較正確的。如汾河流域，記到了汾水發源

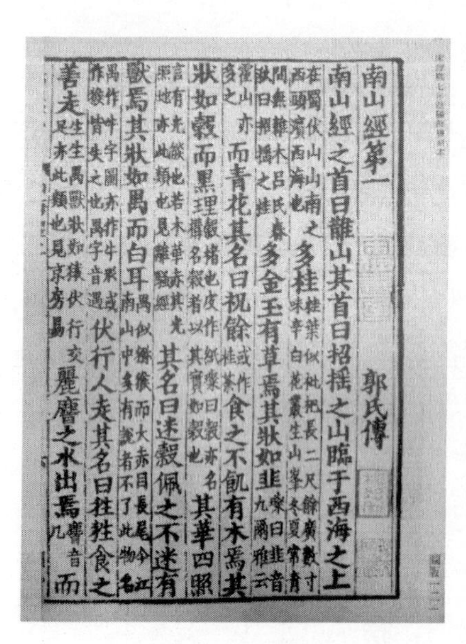
南山經第一　郭氏傳
南山經之首曰䧿山其首曰招搖之山臨于西海之上
多桂
多金玉有草焉其狀如韭
而青花其名曰祝餘　食之不飢有木焉其
狀如穀而黑理　其華四照
其名曰迷穀佩之不迷有
獸焉其狀如禺而白耳
伏行人走其名曰狌狌食之
善走　麗𪊨之水出焉　而

《山海經》書影

的管涔山、晉水發源的懸甕山等。有人認為四千年前出現這樣的著作不可思議。其實按情而推，並不困難。這應當是當時王國的史官，相當於《周禮》中的職方氏，根據四方來訪的使臣的口述記錄下的地理資料。又有人因書中記載了大量神話傳說，故而認為這是神話著作，記的事情都靠不住。但從近些年來的研究成果看，凡是對《山海經》經過認真研究的學者，都認為此書的資料價值非常之高。特別是對於人類學及上古歷史、地理、民俗、民族、宗教文化的研究，有著十分重要的意義。

（2）酈道元《水經注》

《水經注》是北魏地理學家酈道元（？-527）的力著，是一部全面系統的水文地理著作。《水經》是漢代人的著述，此書是酈道元為《水經》所作的注，但它的價值、分量遠遠超過原書。全書40卷，記載了1200多條河道，並詳其原委，以水道為綱，記述了河流經過地

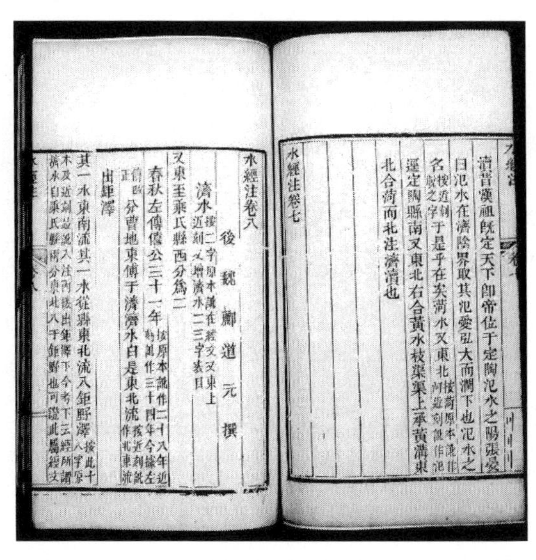
濟昔漢祖既定天下卽帝位于定陶氾水之陽張晏
曰氾水在濟陰界取其氾愛弘大而潤下也氾水之
名按近刻脫之字于是乎在矣菏水又東北按菏原本訛作河近刻訛作氾
逕定陶縣南又東北右合黃水枝渠渠上承黃溝東
北合菏而北注濟瀆也
水經注卷七

水經注卷八
後魏　酈　道　元　撰
濟水按二字原本訛在經文又東上近刻又增濟水二三字衰目
又東至乘氏縣西分為二
春秋左傳僖公三十一年按原本訛作二十八年近刻訛作三十四年今據左傳改正
分曹地東傅于濟濟水自是東北流按近刻訛作北東流
出鉅澤
其一水東南流其一水從縣東北流入鉅野澤按此十八字原本及近刻並訛入注內後出鉅澤下今考下云經所謂濟水自乘氏縣兩分東北入于鉅野也可證此屬經文

《水經注》書影

區的湖泊、瀑布、伏流、灘瀨、山陵、原隰、平川、沃野、郡縣、城池、關塞、名勝，以及土壤、植被、氣候、水文，還有社會經濟、民俗風習、歷史故事、神話傳說等。據今人統計，其所記湖澤500餘處，瀑布60多處，泉水等約300處，伏流約30余處，山陵約2000處，洞穴達70餘處，城邑約2800座，古都約180座，鄉、鎮、村、堡之類約1000處，橋樑約100餘座，津渡約100處，各類地名約24000處，古塔約30餘處，宮殿約120餘處，陵墓約260餘處，寺院約26處，植物品種多達140餘種，動物種類超過100種，所記載的水災約30餘次，地震約20次。其內容之豐富可想而知。引證宏博，考證翔實，引用書籍多達437種，有不少文獻早已散佚。書中所記北方地理多經作者親身考察，對前人訛誤多有糾正，而關於南方地理的記述則時有差誤。比如著名的《江水注》中關於三峽的描寫，所言「自非亭午夜分，不見曦月」，便不合事實。這部書在中國和世界地理學史上都有重要地位，是研究歷史地理最權威的也是知名度最高的一部著作，為後世各類著作頻繁引用。

（3）李吉甫《元和郡縣志》

《元和郡縣志》是唐憲宗時曾兩度為相的李吉甫（758-814）所撰。全書40卷，是現存最早也是最完整的一部地理總志。原有圖，故又名《元和郡縣圖志》，今圖已不存。唐太宗貞觀十三年（639年）劃全國為十道，配以作者當時的四十七鎮，以此為綱，以下每府、州首記治城、耕地、戶數、鄉數、沿革、疆域、八到、貢賦，次分記下屬縣之沿革、山川、古跡、道里、關塞等。因作者曾為唐相，國家圖籍、地方檔案盡得寓目，因此內容豐富精賅，為歷代所重。孫星衍作序云：「地理之學，古有所受……摯虞、陸澄、任昉、顧野王之書，先後散失，《水經注》止記川流經過，其於郡縣故跡，不能備載。唐

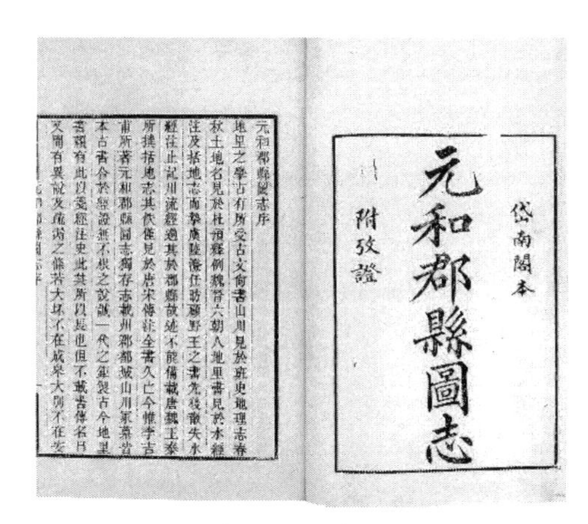

岱南閣本
元和郡縣圖志
附攷證

元和郡縣圖志序
地理之學古有所受古文尚書山川見於班史地理志春
秋土地名見於杜預釋例魏晉六朝人地理書見於水經
注及括地志而摯虞陸澄任昉顧野王之書先後散失水
經注止記川流經過其於郡縣故迹不能備載唐魏王泰
所撰括地志其佚僅見於唐宋傳注全書久亡今惟李吉
甫所著元和郡縣圖志獨存志載州郡都城山川冢墓皆
本古書合於經證無不根之說誠一代之鉅製古今地理
書賴有此以箋經注史此其所以長也但不載書傳名目
又間有異說及疏忽之條若大[illegible]

《元和郡縣圖志》書影

魏王泰所撰《括地志》，其佚僅見於唐、宋傳注，全書久亡，今唯李吉甫所著《元和郡縣圖志》獨存。志載州郡都城，山川冢墓，皆本古書，合於經證，無不根之說，誠一代之巨製。古今地理書，賴有此以箋經注史，此其所以長也……無此書而地理之學幾絕矣。」

（4）顧祖禹《讀史方輿紀要》

顧祖禹（1631-1692）是清初著名的地理學家，曾參與編撰《清一統志》，故而對全國山川形勢頗有研究。《讀史方輿紀要》共130卷，約280萬字。前九卷撰述歷代州域形勢。中一百一十四卷以明代兩京十三布政使司及所屬府州縣為綱，分敘其建置沿革、方位、古跡、山川、城鎮、關隘、驛站等內容。以六卷篇幅記述「川瀆異同」、「九州之脈絡」。最後一

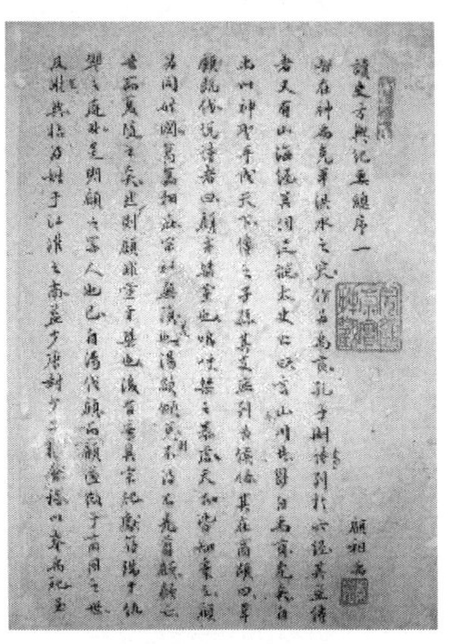

讀史方輿紀要總序一
[illegible]
顧祖禹

《讀史方輿紀要》書影

卷是傳統之說「分野」。這部書主在軍事，故詳於州域形勢、山川險隘、關塞攻守的記述，並引證史事，推論成敗得失，「以古今之史，質之以方輿」。但他同時考慮到了輿地對於國計民生的意義，故與國計民生相關者，如治水、漕運、農田水利、交通路線、城邑興衰等，也都詳略得當地進行記述。此書被認為是地理學上的經典之作，評價在《元和郡縣志》之上。

（5）徐弘祖《徐霞客遊記》

徐弘祖（1587-1641）是明朝末期著名的地理學家，探險家。《徐霞客遊記》是以日記的形式完成的一部地理學名著。經30年考察撰成260餘萬字的巨著，但多散佚，今所存僅60萬字。死後由他人整理成《徐霞客遊記》。《四庫全書總目》云：「明徐弘祖撰。弘祖，江陰人，霞客其號也。少負奇氣，年三十出遊，攜一襆被，遍歷東南佳山水。自吳、越之閩，之楚，北歷齊、魯、燕、冀、嵩、雒，登華山而歸。旋復由閩之粵，又由終南背走峨嵋，訪恒山。又南過大渡河至黎雅尋金沙江，從瀾滄北尋盤江，復出石門關數千里，窮星宿海而還。所至輒為文以志遊跡。沒後手稿散佚，其友季夢良求得之，而中多闕失。宜興史氏亦有抄本，而訛異尤甚。此則楊名時所重加編訂者也。第一卷自天台、雁蕩以及五臺、恒、華，各為一篇。第二卷以下皆西南遊記，凡二十五篇。首浙江、江西一篇，次湖廣一篇，次廣西六篇，次貴州一篇，次雲南十有六篇，所闕者一篇而已……雖足跡所

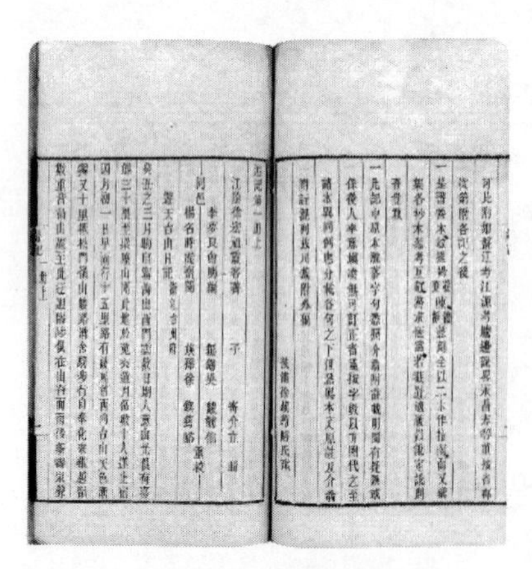

《徐霞客遊記》書影

經，排日紀載，未嘗有意於為文。然以耳目所親，見聞較確。且黔滇荒遠，輿志多疏，此書於山川脈絡，剖析詳明，尤為有資考證。是亦山經之別乘，輿記之外篇矣。」此書記西南地理、地形、地質尤詳，對前人之說亦多糾謬。如《尚書・禹貢》有「岷山導江」之說，此則證金沙江為長江上源。書中對各地經濟、交通、城鎮、聚落、風土、民情、文物等，也多有記述。

2 方志

「方志」即地方志，是記一方地理、歷史、風俗、物產、名勝、人物等情況的著作。這一部分著述數量相當多。大約從宋、元開展起來，到明清達到繁盛，幾乎每個省、府、州、縣都有志，而且多次重修，像雍正七年（1729年）就曾下令方志每六十年修一次。這樣的話，每種方志都可能存在幾種不同的版本。清代方志留存至今的有五千多種。一般都有疆域、分野、山川、建置沿革、城池、坊里、署廨、驛鋪、兵防、馬政、津梁、水利、倉儲、賦役、學校、書院、風俗、方言、物產、職官、名宦、選舉、人物、孝義、列女、隱逸、流寓、仙釋、方伎、古蹟、陵墓、寺觀、祥異、雜記、藝文等多項內容。通過對以上內容的記述，較全面地展現了一方民眾的社會生活，及其在歷史中的變遷。因此這是瞭解一方歷史及風土民情的必讀之書。特別是為官一方者，絕不可不讀。明成祖永樂十六年（1418年）下詔編郡縣志書時，在《編纂志書凡例》中就提出：「治天下以史為鑑，治郡國以志為鑑。」

方志可分為總志、通志與分志三類。總志，是總匯全國各地方志資料編撰而成的，如《一統志》元、明、清三代都有《一統志》，而最完備的是《清一統志》。《清一統志》共修過三次。第一次在康熙二十五年（1686年）。第二次始於乾隆二十九年（1764年），完成於乾隆

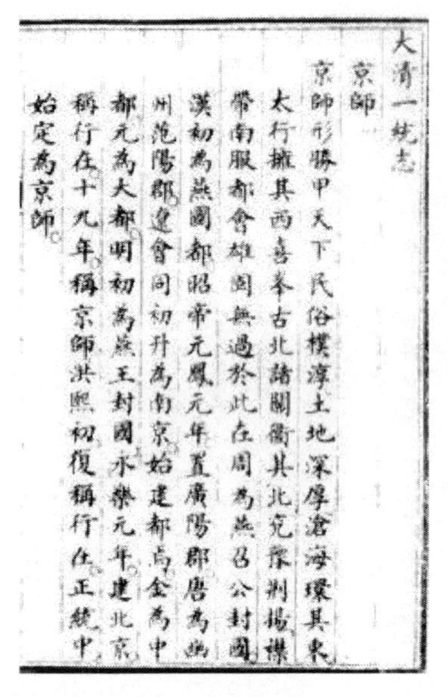

大清一統志
京師
京師形勝甲天下民俗樸淳土地深厚滄海環其東
太行擁其西喜峯古北諸關衛其北兗豫荊揚襟
帶南服都會雄固無過於此在周為燕召公封國
漢初為燕國都昭帝元鳳元年置廣陽郡唐為幽
州范陽郡遼會同初升為南京始建都焉金為中
都元為大都明初為燕王封國永樂元年建北京
稱行在十九年稱京師洪熙初復稱行在正統中
始定為京師

《清一統志》書影

四十九年（1784年）。第三次始於嘉慶十七年（1812年），終於道光二十二年（1842年）。顧祖禹、閻若璩、齊召南、龔自珍等都先後參加過此書的工作。後出轉精，以《嘉慶重修一統志》最善，共560卷。全書以行省為綱，府、州為目，縣為子目，內設「疆域」、「分野」、「建置沿革」、「形勢」、「風俗」、「城池」、「學校」、「戶口」、「田賦」、「稅課」、「職官」、「山川」、「古蹟」、「關隘」、「津梁」、「堤堰」、「陵墓」、「祠廟」、「寺觀」、「名宦」、「人物」、「流寓」、「列女」、「仙釋」、「土產」二十五目。邊疆各統部之屬部略異，又有「屬境」、「晷度」、「關郵」、「臺站」、「營塘」、「卡倫」等不一。京師及興京所在的盛京統部另有「壇廟」、「宮殿」、「行宮」、「苑囿」、「官署」等項，與其他地區略有區別。其內容十分豐富，是研究古代人文地理和自然地理不可不讀的書。

「通志」是指各省的總志，匯集了各省的方志資料，分府、州、縣編排，如《山西通志》《山東通志》之類。「分志」則指府、州、縣志，如《平陽府志》《霍州志》《會稽志》之類。

地方志像一座寶庫，它保存了大量正史中沒有的與地方相關的人物、歷史事件、著述等方面的資料。對於這些資料的利用，可能會成為當代文史研究的一個新的增長點，因為有不少問題，只有借用方志才能解決。如關於戴君恩，《四庫全書總目 · 詩類存目》中著錄戴氏有《讀風臆評》，云：「君恩，字仲甫，長沙人，嘉靖癸丑進士，官巴縣知縣。」《雜家類存目》著錄有《剩言》，提要卻說：「君恩字忠甫，澧州人，萬曆癸丑進士，官至四川兵備副使。」同一書中前後相互矛盾，何者為是，很難斷定。關於戴氏的資料其他地方很難找到。臺灣「中央圖書館」編的《明人傳記資料索引》是一部研究明史的比較權威的工具書，其中也找不到戴君恩的名字。哈佛燕京學社所編的《八十九種明代傳記綜合引得》中，也不見其名。而由地方志匯撰而成的《清一統志》卷二百八十七則記：「戴君恩，字紫宸，澧州人，萬曆進士，歷工部主事，督修永陵有功。奢酋之變，監軍討平之。歷官都御史，巡撫山西，計討賊王綱等三百人。」民國《澧縣志·人物》云：「戴君恩，字忠甫，萬曆癸丑進士，官至廣東巡撫。」不僅糾正了《四庫全書總目》的錯誤，同時也補充了生平資料。

再如，關於光緒三年（1877年）大旱的記載，在《清史稿·災異志》中僅記：「三年四月，武進、沾化、寧陽、南樂、唐山旱，應山夏、秋大旱。四年春，東平、三原旱。七月，內丘、井陘、順天、唐山、平鄉、臨榆旱。八月，京山旱。」各省《通志》則保存了當時省府官員給朝廷上的災情奏摺，而各府、州、縣志中，則普遍記載了當時的情景。如河北《元氏縣志》記載：「荒旱，大饑，人相食，縣令請賑災。」山東《齊東縣志》記載：「元、二、三年均大旱，民饑，樹皮草根採食殆盡。」河南《宜陽縣志》記載：「四年春，斛谷萬錢，人相食，甚至母食子肉，弟爨兄骨，先死者一家人聚食，繼死者以次吞皭，雖有情不忍食者，亦不敢野葬，穴壙於家暫掩其屍，闔邑戶口流亡十之六七，牲畜殺無遺種。」山西《臨晉縣志》記載：「赤地千里，荒旱異常，民苦無食，往往衣履完整，一蹶則不復起。又多疫疾傳染，幾於全家。」《洪洞縣志》記載：「光緒二年，縣南有火自田間出，遠望如球，光敷天，東西睛無定向，時滅時見。占者謂旱徵。果大旱數年……三年至四年，歲大祲，米麥制三千六七百文不等。樹皮草根，剝掘殆盡，人相食，餓殍盈途，目不忍睹。」內蒙古《清水河廳志》記載：「粟貴如珠，百姓食糟糠，剝樹皮，掘草根，甚至人相食，鬻子女僅易一餐，在襁褓者父母棄之道路不顧而去。商旅不敢獨行，饑莩盈野，慘不忍睹。」此外在江西、四川、陝西、甘肅等地的縣志中，都可看到大旱的記載。這就大大補充了正史的不足。

方志的內容十分豐富，涉及方方面面。如傳說堯時有「十日並出」，我們把此當做神話，但在方志中卻頻頻見到類似的記載，如乾隆時期的《江南通志》載：明正德四年（1509年），「蘇州於正月望日，見日初出時，如日者十數，至清明日乃止」。《長山縣志》記明天啟七年（1627年）元旦，「十日環之，漸高乃散」。《新泰縣志》載：明崇禎十年（1637年），「空中藍日無數，磨蕩飛舞」。《遼陽縣志》載：明天啟元年（1621年），「有數日並出」。《朝城縣續志》載：宣統三年（1911年），「六月初四日，日初出，高丈餘，忽日上有五六日。少頃往南飛有二十餘日，向北飛去十餘日」。說明這是一種自然現象，值得研究。神話傳說並非無據。

雖然就某一具體方志來說，其提供的參考價值並不太大，甚至沒有意義，但作為一個整體，其意義不可忽視。竺可楨先生在《中國近五千年來氣候變遷的初步研究》一文中，將五千年氣候分為四個時期，而將1400年至1900年這段時間命名為「方志時期」，就是因為研究這個時期的氣候資料主要依靠的是方志。

方志的作者，一般來說都是當地的讀書人。特別是縣志、鎮志的撰稿人，一般地位不高，屬於鄉土文人。出於對自己家鄉的熱愛，他們對於當地出生的人才、發生的歷史事件都會特別關注，故而保持了較多的記載。當然，限於水準，其對於事物的推斷，也會出現問題，故錯誤也較正史為多。值得注意的是，這些鄉土文人，是介於官方與民眾之間的一個社會階層，一方面受到了傳統文化教育的影響，另一方面又生活在世俗文化群體之中。他們往往會把書本知識與民間傳說雜糅在一起敘述，因而他們對於創造地方文化起到了十分重要的作用，也因此使得地方志的記載，變成雅俗兩種文化的融合物。我們在利用方志時，要有基本的判斷。

3 野史筆記

野史筆記是指私家編撰的帶有歷史記述性的史籍，是與官修的史書不同的另一種史書。古代有「稗官野史」的說法。稗官是採錄民俗民情的小官。《漢書・藝文志》引如淳所說，「細米為稗，街談巷說，甚細碎之言也。王者欲知里巷風俗，故立稗官，使稱說之」。這種閭巷風情、街談巷議、遺聞軼事的記錄，也叫「稗史」。今人所說的魏晉以來的志怪小說、軼事筆記，以及唐宋以降大量的私家筆記，多具有這種性質。這一部分圖書多被人作為「小說」處理，其實其中有相當部分都是作者的所見所聞，著意編撰的並不多，只是在記述的文字上有所加工而已。

野史筆記所涉及的內容十分廣泛，劉葉秋先生曾根據筆記的內容將其大致分為三類：第一是小說故事類，像干寶《搜神記》、劉義慶《世說新語》、紀昀《閱微草堂筆記》等；第二是歷史瑣聞類，如劉歆《西京雜記》、劉餗《隋唐嘉話》、王士禎《池北偶談》等；第三是考據、辯證類，如沈括《夢溪筆談》、錢大昕《十駕齋養心錄》等。[4]若就其具體內容言，問題則複雜得多，以明清筆記為例，有記軍國大事的，如屠叔方《建文朝野匯編》、李清《南渡錄》、應廷吉《青燐屑》、陳徽言《武昌紀事》、鄔西野史《粵氛匯編》、夏燮《中西紀事》、魏源《夷艘入寇記》、梁廷枏《夷氛聞紀》等。有記社會經濟生

4　劉葉秋：《歷代筆記概述》，3頁，北京，中華書局，1980。

活的，如沈德符《萬曆野獲編》、謝肇淛《五雜俎》、屈大均《廣東新語》、李斗《揚州畫舫錄》、錢泳《履園叢話》、昭槤《嘯亭雜錄》等。有記述農業生產的，如陸容《菽園雜記》、張瀚《松窗夢語》、周亮工《閩小記》等。有記商業活動的，如沈榜《宛署雜記》、田汝成《西湖遊覽志餘》、朱彝尊《日下舊聞考》、查慎行《人海記》等。有記手工業生產的，如顧起元《客座贅語》、沈德符《敝帚軒剩語》、吳騫《陽羨名陶錄》等。有記殊方異物的，如馬歡《瀛涯勝覽》、費信《星槎勝覽》、張燮《東西洋考》、毛奇齡《蠻司合志》、徐松《新疆識略》等。有記各類人物的，如何喬遠《名山藏》、周亮工《畫人傳》與《印人傳》、黃宗羲《思舊錄》、錢林《文獻徵存錄》、阮元《疇人傳》等。而其往往一書中，內容兼及方方面面，雜而不純，故往往冠有「叢談」、「雜俎」、「瑣言」、「漫鈔」之類的名目。雜是這類書的本色。

官修的史書，因受意識形態的制約、權力的干擾或體例的拘束，記事往往每有顧忌，不能放開，「虛美」、「隱惡」、為尊者諱的現象，已屬正常。而野史筆記因為私人著述隨意為之，少有忌憚，往往敢言官書所不敢言。民國初周椒青在為裘毓麟《清代軼聞》所作的序中說：「凡古人言行，其載之正史者皆山中之恒溪也，及睹其軼事與他說，則其人之性情畢露而讀者之耳目為之一新，此則天外之飛瀑也。」魯迅也曾說過：「歷史上都寫著中國的靈魂，指示著將來的命運，只因為塗飾太厚，廢話太多，所以很不容易察出底細來。正如通過密葉投射在莓苔上面的月光，只看見點點的碎影。但如看野史和雜記，可更容易了然了，因為他們究竟不必太擺史官的架子。」[5]「野

5 魯迅：《華蓋集·忽然想到》，見《魯迅全集》，第3卷，17頁，北京，人民文學出版社，1981。

史和雜說自然也免不了有訛傳、挾恩怨，但看往事可以較分明，因為它究竟不像正史那樣地裝腔作勢。」[6]（《華蓋集‧這個與那個》）正因如此，所以野史筆記便成了史學家研究歷史非常重要的一個參考系統。唐房玄齡等撰《晉書》，即將《語林》《世說》《幽明錄》《搜神記》等野史小說資料採以為書。歐陽修撰《新五代史》，採用野史筆記，對《舊五代史》作了修訂補充。清代史學家趙翼就曾利用筆記史料訂正官修史書，他在《關索插槍岩歌》中寫道：「嗚呼！書生論古勿泥古，未必傳聞皆偽史冊真。」（《甌北集》卷十九）認為正史所載未必可靠，民間傳聞未必不實。王鳴盛撰《十七史商榷》，也主張實錄與小說互有短長，去取之際，貴考核斟酌，不可偏執。

野史筆記最可注意的是，它像是黑暗中的眼睛，朝野事物皆在其監視之下。有些關乎軍國的大事，正史中或有忌諱，在野史中則可以大膽記述。如釋文瑩《續湘山野錄》記宋太宗趙光義夜見宋太祖趙匡胤，「酌酒對飲，宦官宮妾悉屏之。但遙見燭影下太宗時或避席，有不可勝之狀。飲訖，禁漏三鼓，殿雪已數寸。帝引柱斧戳雪，顧太宗曰：『好做好做！』遂解帶就寢，鼻息如雷霆。是夕太宗留宿禁內。將五鼓，伺廬者寂無所聞，帝已崩矣。太宗受遺詔於柩前即位。」由此而引發了「燭影斧聲」千古疑案。又，關於朱元璋採用剝人皮的酷刑情況，據王圻《稗史匯編》云：「國朝初嚴於吏治，憲典烈火，中外臣工，少不承旨，非遠戍則門誅，死者甚眾。吏守貪酷，許民赴京陳訴。贓至六十四兩以上者梟首示眾，仍剝皮實草，以為將來之戒。於府州縣衛之左特立一廟，以祀大地。為剝皮之場，名曰皮場廟。於公座傍各置剝皮實草之袋，欲使嘗接於目而儆於心。人皆惴惴焉，以

6　魯迅：《華蓋集‧忽然想到》，見《魯迅全集》，第3卷，138頁，北京，人民文學出版社，1981。

得免職為幸，有詐死而逃者。在京官員每入朝，必與妻子訣別。至暮無事則相慶，以為更生。至以鴆血染衣帶，聞補繫之命，亟吮其血，頃刻死矣。」（卷七四《國憲門・刑法類・皮場廟》）此類記載即為正史所無。

野史筆記其監督的目光不止聚焦朝廷，相當多的則是關注在要人、名人身上。名人軼事，包括隱私、醜聞，不見於正史，往往可從筆記中獲得。著名學者王鳴盛以其《十七史商榷》《蛾術編》等學術著作而為學術界推重，可是野史卻記下了他卑劣的為人。《嘯亭續錄》卷三曰：「王西莊未第時，嘗館富室家，每入宅時，必雙手作摟物狀。人問之，曰：『欲將其財旺氣摟入己懷也。』及仕宦後，秦諉楚諈，多所乾沒。人問之曰：『先生學問富有，而乃吝不已，不畏後世之名節乎！』公曰：『貪鄙不過一時之嘲，學問乃千古之業，余自信文名可以傳世。至百年後，口碑已沒，而著作常存。吾之道德文章猶在也。』故所著書多慷慨激昂語，蓋自掩貪陋也。」當然這些記載未必真實，但對達官顯貴以及名人來說，確能起到監督的作用。一旦人們意識到這雙黑暗中的眼睛時，其行為必然要有所注意。

關於筆記野史方面的圖書，近年出版較多，如中華書局出版的《歷代筆記史料叢刊》，其中唐宋史料筆記34種，元明史料筆記20種，清代史料筆記38種。後來又陸續有新增。遼寧人民出版社出版《野史大觀》，江蘇廣陵古籍刻印社影印出版《筆記小說大觀》，還有各種以筆記名義出版的叢書。現存筆記量過多，很少有人做專門的歸類整理工作，翻檢十分不便，因此這一部分資料沒有得到充分的利用，其開發餘地相當之大。

思考題

1. 反映中國古代民眾生活的史料，主要保存在哪類史學著作中？能否舉例說明？
2. 有人說「二十五史」是帝王將相的家譜，對此你有何看法？
3. 記載中國古代典章制度的有哪些重要典籍？
4. 簡談野史的價值和意義。

參考書目

〔漢〕司馬遷：《史記》，北京，中華書局，1973。
〔漢〕班固：《漢書》，北京，中華書局，1962。
〔北魏〕酈道元：《水經注》，上海，上海古籍出版社，1990。
〔宋〕司馬光：《資治通鑑》，北京，中華書局，1976。
〔宋〕袁樞：《通鑑紀事本末》，北京，中華書局，1964。
〔清〕顧祖禹：《讀史方輿紀要》，上海，上海書店出版社，1998。
〔清〕顧炎武：《天下郡國利病書》，濟南，齊魯書社，1996。
《嘉慶重修一統志》，北京，中華書局，1986。
袁珂：《山海經校注》，上海，上海古籍出版社，1980。
劉葉秋：《歷代筆記概述》，北京，中華書局，1980。
田昌五：《國學舉要・史卷》，武漢，湖北教育出版社，2002。

第四編
子學

所謂「子學」，就是「諸子之學」。「子」是男子的尊稱。《春秋穀梁傳・宣公十年》范甯注：「子者，人之貴稱。」《急就篇》「鄭子方」顏師古注：「子者，男子美稱。」「子」何以會成為男子的美稱、尊稱呢？現代學者多據汪中《述學・釋夫子》所說，以為「古者孤卿大夫皆稱『子』。子者，五等之爵也……《春秋傳》：『列國之卿，當小國之君。』小國之君則子男也。子、男同等，不可以並稱，故著『子』去『男』，從其尊者。」其實「子」有尊之、美之之意，源於商之國姓。商人姓「子」，故子姓在商地位高貴，非他姓可比。周人繼統，子姓作為先王之後，地位仍異於他姓，「子」便由此衍生出了尊、美之意。非子姓者，亦喜於名字中嵌入「子」字，故周時出現了大量以「子某」為字的稱謂，也使「某子」之稱這一形式得以延續，同時「子」也具有了現代漢語中「您」的意義。《春秋繁露・三代改制質文》曰：「知殷之德陽德也，故以『子』為姓；知周之德陰德也，故以『姬』為姓。故殷王改文，以男書『子』；周王以女書『姬』。故天道各以其類動，非聖人孰能明之！」漢去古未遠，故董氏嘗能得其真諦。其意是說商屬陽德，子姓，故稱男曰「子」，周屬陰德，姬姓，故稱女曰「姬」。以姬與子對舉，甚有見地。而稱女曰姬，正可作為稱男曰子的絕佳旁證。《漢書・文帝紀》「母曰薄姬」師古注曰：「姬者，本周之姓，貴於眾國之女，所以婦人美號皆稱姬焉。」「子」由商姓而衍生出「男子美稱」一層意義，正與「姬」由周姓而衍生出「婦人美稱」的變化規律同出一轍。以「子」為尊稱，盛行於兩周。春秋時期開始發生變化，老子、孔子皆為當時的大知識分子，特別是孔子廣收門徒，被眾多的人尊稱曰「子」，故後來「子」便衍生出師長、先生的意義。戰國諸多思想家皆有「子」之稱，所謂「諸子」也就是「諸位先生」的意思。戰國諸子各以其學說行於世，劉歆《七略》與《漢書・藝文志》為著錄他們的著作，便特設了《諸子略》一目。

《文心雕龍・諸子》篇云：「諸子者，入道見志之書。」「入道見志」其實就是思想學說。故四庫館臣云：「自『六經』以外，立說者皆子書也。」其雖在「六經」之外，實與「六經」有精神血脈上的聯繫。經是中國文化的價值核心，諸子則是根植於此核心而產生出的思想與智慧。故《莊子・天下》篇云：「《詩》以道志，《書》以道事，《禮》以道行，《樂》以道和，《易》以道陰陽，《春秋》以道名。分其數散於天下而設於中國者，百家之學時或稱而道之。」《漢書・藝文志・諸子略序》亦稱諸子為「『六經』之支與流裔」。章學誠《文史通義・詩教上》亦言：「諸子之為書，其持之有故而言之成理者，必有得於道體之一端，而後乃能恣肆其說，以成一家之言也。所謂一端者，無非六藝之所該，故推之而皆得其所本。」這種理解在今天看來雖有過於崇經的傾向，但崇拜之中無疑體現著一種價值趨向。「經」是修己治世的大典，「子」則是在這種經典精神的滋潤下製作出的治世方略與社會理想圖景。同時，「子學」也是中國思想的淵藪，沒有諸子的存在，中國文化則會顯得乾癟無味。從某種意義上講，「子學」是中國社會發展的理論指導系統，規定著中國古代社會的發展方向與精神表現。

第七章
子學概說

中國傳統學術所重在經史，即如四庫館臣所言：「學者研於經，可以正天下之是非；徵事於史，可以明古今之成敗；餘皆雜學也。」（《四庫全書總目・子部總敘》）但欲明中國之學術思想與理論，棄「子學」則將無從談起。經史雖為學問根底，但要看中國文化繁花似錦的景觀，則還必須看由根底生出的茂林繁華，「子學」便是這茂林繁華。章太炎先生之所以強調以諸子為歸，原因正在此。在這一章中有兩個問題需要首先解決，一是諸子的派系梳理與學術源流，二是子學與歷史文化思潮的變遷。前者是橫向地分理其別，後者是縱向地把握其變。

第一節　諸子學術源流與子學內涵的拓展

諸子興起於春秋之末而盛於戰國。前有老子、孔子及七十子之徒，後有墨、楊、孟、莊、荀、韓之流，習慣上稱為諸子百家。百家之言，紛然雜淆，真有點兒「家家自以為稷契，人人自以為咎繇」的樣子，個個都以為如欲平治天下，捨己莫屬。而對這種紛亂的學術狀態進行歸納，先秦時人就開始了這種努力。《莊子・天下》歸納了六派，即墨子、禽滑釐一派，宋鈃、尹文一派，彭蒙、田駢、慎到一派，關尹、老聃一派，莊周一派，惠施一派。《荀子・非十二子》歸納了七派，即它囂、魏牟一派，陳仲、史鰌一派，墨翟、宋鈃一派，慎到、田駢一派，惠施、鄧析一派，子思、孟軻一派，仲尼、仲弓一派。《莊子》對各派的歸納，主言其長；《荀子》對各派則主言其短。《韓非子·顯學》將儒家分為八派，墨家分為三派，即子張之儒，子思之儒，顏氏之儒，孟氏之儒，漆雕氏之儒，仲良氏之儒，孫（荀）氏之儒，樂正氏之儒；相里氏之墨，相夫氏之墨，鄧陵氏之墨。《尸子·廣澤》篇感到歸納派系的困難，因而只好單個作結，如云：

> 墨子貴兼，孔子貴公，皇子貴衷，田子貴均，列子貴虛，料子貴別囿。

《呂氏春秋·不二》篇亦云：

> 老聃貴柔，孔子貴仁，墨翟貴廉，關尹貴清，子列子貴虛，陳駢貴齊，陽朱貴己，孫臏貴勢，王廖貴先，兒良貴後。

司馬談《論六家要旨》則歸納為六家，而且給每家以命名，如陰陽、儒、墨、名、法、道德。劉歆《七略》及班固《漢書·藝文志》，在此基礎上梳理為十家，即儒、道、陰陽、法、名、墨、縱橫、雜、農、小說。前九家即為九流，小說家因不能成為一種思想學說，故不「入流」，而並為十家。

從以上的情況看，有兩個問題值得我們注意。其一，道、法、名、墨之名，是漢代人總結前代學術所加，在先秦時，學者們只求創立新說，並沒有考慮其學派的命名問題。因此莊、荀、尸、呂等，只舉代表人物名字與其主要學說，而不指稱其學派。韓非子也只提到了儒、墨兩家，對其分裂的各派，也是僅列其代表者之名。其二，九流的分疏，也是漢代人的創造，先秦學者並沒有自己給自己劃派歸系，因此出現了學者派系歸屬上的矛盾。如《莊子》把彭蒙、田駢、慎到歸為一派，而《藝文志》中，以慎到入法家，以田駢入道家。其實有一個學者就有一家，故有「諸子百家」之說。但《藝文志》歸納，居高臨下，棄其枝葉，握其大本，對於從總體上把握這個時代的學術脈絡非常有幫助，因而得到了後來大多數學者的認可。至於學者具體歸屬上的分歧主要是由思想的複雜性造成的。比如，韓非子從師承來說是荀子的學生，應屬儒家系統，但他對於《老子》學說特別熱衷，而且是中國歷史上第一個注解《老子》的學者，故司馬遷說韓非「歸本於黃老」(《史記》本傳)。可是他的理論卻重在言刑名法術，故《藝文志》歸於法家。

戰國諸子學說是傳統文化思想「與時偕行」的一種變化形態。諸子之前有「六經」，道術存於其中。戰國縱橫，「道術將為天下裂」，故散而為諸子學說。百家學說是對時代的回應，是各家為救時之急而創立的。即如《淮南子・氾論訓》所云：「百川異源，而皆歸於海；百家殊業，而皆務於治。」雖然面貌全新，而血脈卻傳自父祖，他們都是古代文化在現實中的發揚光大。劉歆《七略》及班固《漢書・藝文志》對諸子學說的源流作了探討，認為皆出自王官，這為我們把握諸子思想的精髓提供了一條思路。

1 儒家

在諸子之中影響最大的是儒家。「儒」的名字在百家中也出現最早。《藝文志》云：

> 儒家者流，蓋出於司徒之官，助人君順陰陽，明教化者也。游文於「六經」之中，留意於仁義之際，祖述堯舜，憲章文武，宗師仲尼，以重其言，於道最為高。

周代司徒，掌管邦教，而儒家是主張教化人民的，故認為儒家思想來自司徒一脈。《周禮．大司徒》注：「師儒，鄉里教以道藝者。」據《周禮》說，當時教萬民的內容有「六德」、「六行」、「六藝」。「六德」是知（智）、仁、聖、義、忠、和；「六行」是孝、友、睦、婣、任、恤（善於父母為孝；善於兄弟為友；睦，親於九族；婣，親於外親；任，信於友道；恤，振憂貧者）；「六藝」是禮、樂、射、御、書、數。這些教育內容全為儒家所接受。《藝文志》中提到的「順陰陽，明教化」六字最值得注意。「儒」是「需」的孳乳字，在甲骨文中像一個人舞於雨中之狀，金文中則作從雨從天。這是個會意字，當與古代的祈雨活動有關，是舞蹈以求雨的表示。根據章太炎先生《原儒》，儒者的原始職業就是與祈雨有關的。所謂「順陰陽」，就是調和陰陽，風雨以時。漢代大儒董仲舒好講陰陽，說者多以為董仲舒雖為儒家，但思想中摻入了陰陽家的東西，殊不知講陰陽正是原始儒者的本行。有一種水鳥叫鷸，天將雨則鳴。古人認為這種鳥知天時，所以以此鳥羽飾冠以象徵知天文。古儒者所戴之冠即鷸冠，也叫術氏冠。《莊子．田子方》說儒者之服是冠圜冠、履句屨，「冠圜冠者知天時，履句屨者知地形」。圜冠即鷸冠，因鷸冠前面是圓的。看來儒者早期是帶有術士性質的。所以《說文》云：「儒，柔也，術士之稱。」《法言．君子》篇言：「通天地人曰儒。」這些術士，上知天文，下知地理，溝通天人，是古代知識分子，所以《周禮．大宰》又言「儒以道得民」，鄭注：「儒，諸侯保氏，有六藝以教民者。」所謂「明教化」，就是從這個意義上說的。《論語》中有一段非常著名的故事：孔子要幾個弟子各言其志，子路、冉有、公西華等，都表述了自己治國

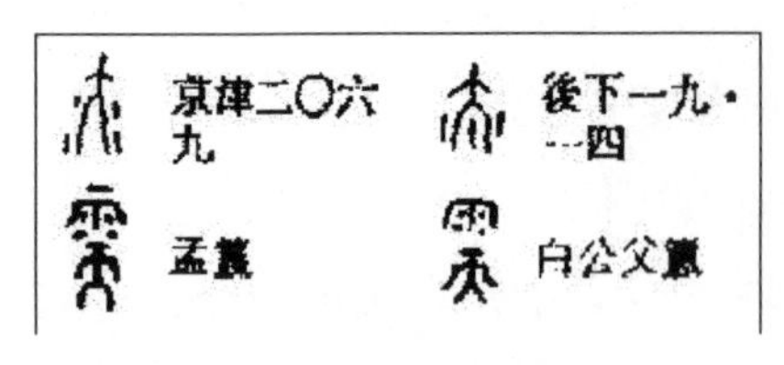

「儒」字字形圖

的理想，而曾晳卻說自己的理想是：「莫（暮）春者，春服既成，冠者五六人，童子六七人，浴乎沂，風乎舞雩，詠而歸。」孔子聽後大加讚賞說：「吾與點也！」這段話讓人們莫名其妙。因曾晳所說的乃是行樂放蕩之言，與孔子道濟天下的理想是完全不沾邊的，故而古今學者對此做了種種猜想。其實王充在《論衡・明雩》篇中早就說明白了。雩是古代祈雨的一種活動，魯國是在沂水上舉行這種祈雨活動的，春祈穀雨，秋祈穀實。所謂「冠者」、「童子」，都是雩祭時的樂舞參與者。「浴乎沂」是象徵龍從水中出來，「風乎舞雩」是表演祭祀歌舞。這一順陰陽之氣的表演，正是儒家的原始職業。《明雩》云：「孔子曰『吾與點也』，善點之言欲以雩祭調和陰陽，故與之也。」治理國家是具體的行政事務，而調和陰陽則是關乎天下萬民的。天平地安，陰陽和調，萬物乃昌，這是超越於政治之上的一種境界，也正是原始儒家一種博大精神的體現。漢代丙吉任丞相時，有一個著名的問牛不問人的故事。做丞相不管鬥者死傷橫道的事，見到喘氣吐舌的牛反而關心。他的理論是，民鬥傷由有司去管，位居三公者「典調和

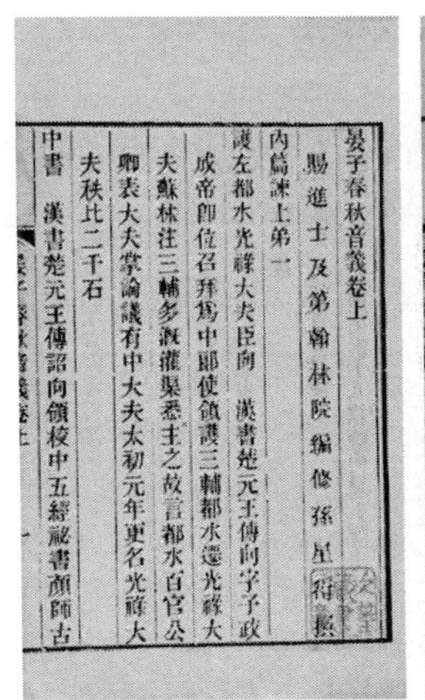
晏子春秋音義卷上
賜進士及第翰林院編修孫星衍撰
內篇諫上第一
諫左都水光祿大夫臣向　漢書楚元王傳向字子政
成帝卽位召拜爲中郎使領護三輔都水遷光祿大
夫蘇林注三輔多溉灌渠悉主之故言都水百官公
卿表大夫掌論議有中大夫太初元年更名光祿大
夫秩比二千石
中書　漢書楚元王傳詔向領校中五經祕書顏師古

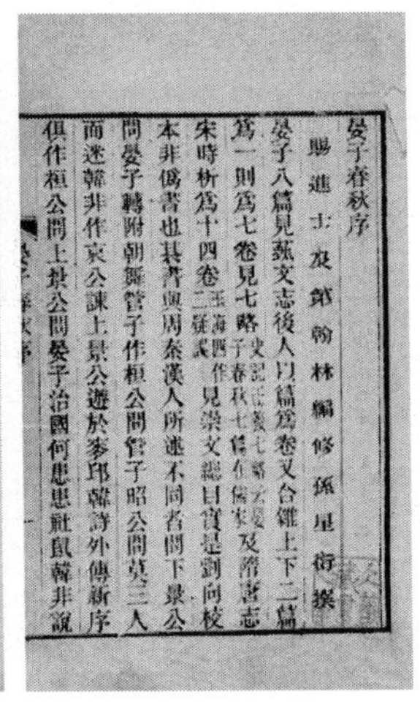
晏子春秋序
賜進士及第翰林院編修孫星衍撰
晏子八篇見藝文志後人以篇爲卷又合雜上下二篇
爲一則爲七卷見七略史記正義七略云晏子春秋七篇在儒家及隋唐志
宋時析爲十四卷玉海四作二疑誤見崇文總目實是劉向校
本非僞書也其書與周秦漢人所述不同者惟下景公
問晏子轉附朝儛管子作桓公問管子昭公問莫三人
而迷韓非作哀公諫上景公遊於麥邱韓詩外傳新序
俱作桓公問上景公問晏子治國何患患社鼠韓非說

《晏子》書影

陰陽」，牛喘恐怕是陰陽失調所致。這個理論正是來自於儒家。至於說到遊藝「六經」、留意仁義、祖述堯舜、憲章文武等，則是儒家學說的具體主張了。因為儒者是文質彬彬之士，故段玉裁《說文解字注》云：「儒之猶言憂也，柔也，能安人，能服人。又儒者濡也，以先王之道能濡其身。」

《藝文志》中所著錄的第一部儒家著作是《晏子》，注云：「名嬰，諡平仲，相齊景公，孔子稱善於人交。」而《荀子・儒效》中則稱周公為大儒。章太炎先生也說孔子以前、周公之後，唯晏子為儒家。這就是說，儒家在孔子之前就已存在，孔子則就儒家之學廣而大之，故能成為後世宗師。漢以後之儒，章太炎先生分為兩派，一派專務修己治人，一派務求明心見性。像隋唐間的王通，宋代的范仲淹、葉適，清代的顧炎武、戴震等，都屬修己治人的一派，這一派是由曾子、荀子這一支發展來的。像唐李翺，宋張載、程顥、程頤、楊時、朱熹、陸九淵，明代王陽明等，則屬於明心見性的一派，這一派是由子思、孟子的思想發展來的。

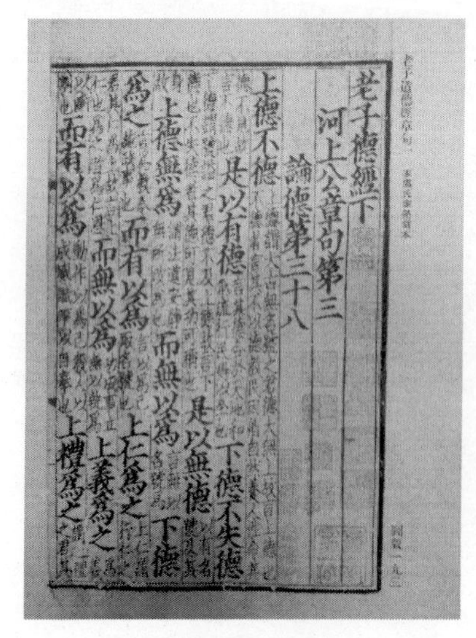
老子德經下
河上公章句第三
論德第三十八
上德不德 是以有德 下德不失德
是以無德
上德無爲 而無以爲 下德
爲之 而有以爲 上仁爲之
而無以爲 上義爲之
而有以爲 上禮爲之

《道德經》書影

2 道家

儒家之外，影響最大的是道家。道家名字在先秦沒有出現，這是漢代人對這一派的總結。或稱作「道德家」。其得名主要是因為《老子》開卷即言「道可道，非常道」，所以取了個「道」字。又因為《老子》舊分上下篇，上篇開首言「道」，下篇開首則言「德」（曰「上德不德，是以有德」），故有「道德家」之稱，《老子》書後來也有了《道德經》之稱。同時「道德」也是這一派學說的核心概念，如《老子》說：「孔德從容，唯道是從」、「道生之，德畜之」、「道生一，一生二，二生三，三生萬物」等。《藝文志》探道家之源曰：

> 道家者流，蓋出於史官，歷記成敗存亡禍福古今之道，然後知秉要執本，清虛以自守，卑弱以自持，此君人南面之術也。

這是說道家一派是出自史官一脈的。老子本人就是柱下史，任務是管理圖籍。這樣他對成敗存亡禍福古今之道看得自然比一般人多，參得也透徹。但不同的是，史官的正傳如司馬遷、班固等，皆從形而下入手，秉承史官之業，記述歷史並作是非價值判斷。而道家走向了形而上學，在對歷史成敗的總結中抽象出了一套理論，即使自己永遠立於不敗之地的理論。「秉要執本，清虛以自守，卑弱以自持」，這是對道家特別是老子思想最精闢的概括。「秉要執本」就是抓事物的根本，而不為其枝葉所惑；「清虛以自守」是保持內心的清靜與穩定，不為外物所擾；「卑弱以自持」是不與人爭勝、爭鋒，其實是要以柔克剛，即《老子》所說的：「天下莫柔弱於水，而攻堅強者莫之能勝也。」這其實是一套統治術，故曰「君人南面之術」。西漢之初黃老一派能獲得政治統治權，則是對「君人南面之術」的說明。「黃老」是黃帝、老子的並稱。《藝文志》在道家類中列有託名黃帝的四種書，託名黃帝之臣力牧的一種。另外在陰陽家類還有《兵書略》《術數略》《方技略》中也列有多種託名黃帝的書，反映了黃帝傳說在西漢的盛行，故司馬遷有「百家言黃帝」的煩惱。看來《兵書略》《術數略》《方技略》等部分的黃帝，都是由道家的黃老思想中派生出來的。這一派由於其學說貴清虛、貴養生，而演變為後世長生之術。又由於其近於權謀，又滋出刑名法術之說。故《四庫全書總目 · 道家類敘》云：

> 後世神怪之跡，多附於道家，道家亦自矜其異。如《神仙傳》《道教靈驗記》是也。要其本始，則主於清淨自持，而濟以堅忍之力，以柔制剛，以退為進，故申子、韓子流為刑名之學，而《陰符經》可通於兵。其後長生之說，與神仙家合為一，而服餌導引入之；房中一家，近於神仙者，亦入之。

3 陰陽家

介於儒家與道家之間的是陰陽家。「陰陽」是儒道兩家都談的，儒家談調和陰陽，道家談順應陰陽變化，而陰陽家則談曆象星辰、四時教令、陰陽消息、五德終始。據記載，早在堯時就設立了觀天象推曆法的官職，陰陽家當出自此一脈，故《藝文志》云：

> 陰陽家者流，蓋出於羲和之官。敬順昊天，曆象日月星辰，敬授民時，此其所長也。及拘者為之則，牽於禁忌，泥於小數，舍人事而任鬼神。

就陰陽一脈的原初之旨，不過是為了讓人們掌握生活節律，順應四時變化，按時耕、播、收、藏，故說「敬授民時」。但這畢竟是推天道的一種學說，在科學不發達的古代，其中難免摻雜著種種關乎神鬼之道的神秘思想。但到後來便出現了捨本逐末的現象，推演陰陽五行，侈說禁忌禍福，故《藝文志》批評其「牽於禁忌，泥於小數，舍人事而任鬼神」。到後來則又與占星、擇日、相宅、看風水等術數之士混在一起，像後世的陰陽先生，就是這一脈的傳人。

4 法家

九流之中，與政法最切近的是法家。法指法律、政令。《韓非子．難三》云：「法者，編著之圖籍，設之於官府，而布之於天下者也。」《定法》篇又云：「法者，憲令著於官府，刑罰必於民心，賞存乎慎法，而罰加乎奸令者也。」因這一派重在講以法治國，故名之曰法家。這個名字也是漢代人給加的。從文化淵源上看，此派思想蓋出自古之司法官一脈。《藝文志》云：

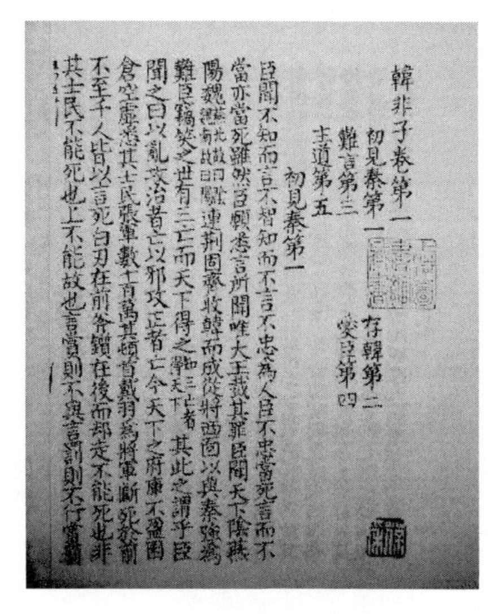

韓非子卷第一
初見秦第一　存韓第二
難言第三　愛臣第四
主道第五
初見秦第一
臣聞不知而言不智知而不言不忠為人臣不忠當死言而不
當亦當死雖然臣願悉言所聞唯大王裁其罪臣聞天下陰燕
陽魏連荊固齊收韓而成從將西面以與秦強為
難臣竊笑之世有三亡而天下得之其此之謂乎臣
聞之曰以亂攻治者亡以邪攻正者亡今天下之府庫不盈囷
倉空虛悉其士民張軍數十百萬其頓首戴羽為將軍斷死於前
不至千人皆以言死白刃在前斧鑕在後而卻走不能死也非
其士民不能死也上不能故也言賞則不與言罰則不行賞罰

《韓非子》書影

> 法家者流，蓋出於理官。信賞必罰，以輔禮制。《易》曰：「先王以明罰飭法」，此其所長也。

理官是治獄之官，其實也就是司法官。傳說中的皋陶就是堯舜時的司法官，故後來成了獄官或獄神的代稱。《荀子．非相》云：「皋陶之狀，色如削瓜。」所謂「色如削瓜」就是指面色鐵青，大概這與戲劇表演中公正無私的忠臣如包拯等多為黑臉相同，這是鐵面無私的象徵。這一派在先秦真正的代表應該是李悝、商鞅等。李悝為魏文侯師，撰次諸國之法，著《法經》。商鞅在秦孝公時入秦，搞變法，主張嚴法酷刑，認為「法令者，民之命也，治之本也」（《商子．定分》），連太子犯法，也要治罪，算得上法家中最具代表性的一位。又有申不害、慎到、韓非等，參以老子權謀之術，而變為法術之學。這一派因為不講德行而只講以嚴法治世，獎勵耕戰，強調富國強兵，以物質利益為最高目的，而不考慮教化萬民，使人心向善，因而在中國歷史上多受非議。故司馬談《論六家要旨》云：「法家不別親疏，不殊貴賤，一斷於法，則親親尊尊之恩絕矣。可以行一時之計，而不可長用也。」《藝文志》云：「及刻者為之，則無教化，去仁愛，專任刑法，而欲以致治，至於殘害至親，傷恩薄厚。」關於秦國以法治國而不考慮教化萬民，其所導致的結果，賈誼在《陳政事疏》中有過細論：

> 商君遺禮義，棄仁恩，並心於進取，行之二歲，秦俗日敗。故秦人家富子壯則出分，家貧子壯則出贅。借父耰鋤，慮有德色。母取箕箒，立而誶（責讓）語。抱哺其子，與公並倨。婦姑不相說，則反唇而相稽。其慈子耆利，不同禽獸亡幾耳。然並心而赴時，猶曰蹶（拔而取之）六國，兼天下，功成求得矣，終不知反廉愧之節，仁義之厚。信（伸）併兼之法，遂進取之業，天下大敗；眾掩寡，智欺愚，勇威怯，壯陵衰，其亂至矣。是以大賢起之，威震海內，德從天下。曩之為秦者，今轉而為漢矣。然其遺風餘俗，猶尚未改。今世以侈靡相競，而上亡制度，棄禮誼，捐廉恥，日甚，可謂月異而歲不同矣。逐利不耳，慮非顧行也。今其甚者殺父兄矣。

這是非常具有代表性的一種觀點。因為行法治，求逐利，結果得了天下，壞了德行，壞了社會風氣，還給漢朝留下了後遺症。但法家的嚴法苛刑對於治理社會混亂局面非常奏效，儒家的仁義則於救亂無補，故古有「亂不言儒，治不言法」之說。

5 名家

名家是戰國興起的很怪異的一家。之所以稱名家，因為他們主在辨名與實的問題。春秋的大變動，出現了名與實不符的問題。孔子曾說過要「正名」，認為「名不正則言不順，言不順則事不成」。《墨子》強調「以名舉實」，《荀子》有《正名》篇，這都反映了當時名實不符的嚴重社會現象的存在。公孫龍子一派「疾名實之散亂」、「欲推是辯，以正名實，而化天下」(《公孫龍子・跡府》)。公孫龍子云：「夫名，實謂也。知此之非此也，知此之不在此也，則不謂也；知彼之非彼也，知彼之不在彼也，則不謂也。至矣哉，古之明王。審其名實，慎其所謂。至矣哉，古之明王！」可以看出他是把名實之辨作為政治問題來對待的，所以與古之明王聯繫起來。《藝文志》云：

> 名家者流，蓋出於禮官。古者名位不同，禮亦異數。孔子曰：「必也正名乎！名不正則言不順，言不順則事不成。」此其所長也。

這個結論看來是抓住了本質。從孔子「觚不觚」的感歎，到「必也正名」的論斷，都可以反映禮崩樂壞後出現的名實不符的情形，以及執守周禮者對於天下理亂的認識，也從另一個角度反映了古代的禮官對於名實問題的重視。但公孫龍子一派在名實問題的討論中，卻陷入了詭辯的泥淖，這則非禮官之屬所為。這當是由禮的名實問題延伸出的對哲學上名實問題的探討。同時，這一詭辯之學，也明顯地帶上了市民生活方式的烙印。《呂氏春秋・上農》篇云：「民舍本而事末則好智，好智則多詐，多詐則巧法令，以是為非，以非為是。」名家之祖鄧析，就是一位「以是為非，以非為是」的高手。《呂氏春秋・離謂》篇云：「令無窮，鄧析應之亦無窮矣。」「子產治鄭，鄧析務難之。與民之有獄者，約大獄一衣，小獄襦褲，民之獻衣襦褲而學訟者，不可勝數。以非為是，以是為非，是非無度，而可與不可日變，所欲勝因勝，所欲罪因罪。」值得注意的是，名家在詭辭巧辯的表現形式下，在意識形態領域進行著破壞性的反傳統活動。打破了人們正常的邏輯思維與常識的拘囿，提出了一系列怪誕的論題，如白馬非馬、卵有毛、雞三足、馬有卵、狗非犬等。但論題雖荒唐，所表現出來的分析手段卻顯得高超絕倫。《世說新語 · 文學》篇載：「謝安年少時，請阮光祿道《白馬論》，為論以示謝。於時謝不即解阮語，重相諮盡。阮乃歎曰：『非但能言人不可得，正索解人亦不可得。』」這在意識中可能是一種墮落，而在思維上則是一個飛躍。雖然這種「離散」分析手段，忽略了事物的整體性與聯屬性，但卻能啟發人深入地分析、觀察、認識事物。

6 墨家

墨家之名出現要早於儒家之外的各家。《孟子》《韓非子》中都把他視為顯學。這一派的得名與其他各家不同。像名家、法家、陰陽家等，是根據他們學說的特點總結出來的名稱；儒家是由師儒教授的職業而沿襲的名稱；墨家則是由他們的代表人物墨子而得名的。這一派與儒家關係甚密。《淮南子 · 要略》篇云：「墨子學儒者之業，受孔子之術，以為其禮煩擾而不悅，厚葬靡財而貧民，久服傷生而害事，故背周道而用夏政。」《墨子 · 公孟》篇云：「程子曰：『非儒，何故稱於孔子也？』子墨子曰：『是亦（其）當而不可易也。」從墨家說「仁義」、倡「兼愛」、道「非攻」的情況看，也與儒家每多相合。但從其基本思想看，他與古代清廟中的史祝之職似乎有些聯繫。《漢書 · 藝文志》云：

> 墨家者流，蓋出於清廟之守。茅屋採（柞木）椽，是以貴儉；養三老五更，是以兼愛；選士大射，是以上賢；宗祀嚴父，是以右鬼；順四時而行，是以非命；以孝視天下，是以上同；此其所長也。

這是就墨家理論的基本精神而言的。章太炎先生說：《藝文志》稱墨家出於清廟之守，確為事實。《藝文志》墨家著作中首列《尹佚》，尹佚也稱史佚、尹逸，其後有史角。史角、史佚都是清廟之守，這也是史官的一種。《左傳》有「清廟茅屋，昭其儉也」之說，這是墨家貴儉的來源。墨家主張明鬼，也與清廟祭鬼神有關。

在先秦各派中，墨家是最特殊的一派。其他各派只是一種思想學說，墨家則是一個帶有宗教性質的組織，他們把一切言行依託於「天志」，把天認作最高的統治者，認為「天子有過，天能罰之」(《天志下》)。這個組織的領袖叫做鉅子，組織的成員也很特別，不像儒生那樣文質彬彬，而是一批赴火蹈刃的勇武之士。故《淮南子・泰族訓》云：「墨子服役者百八十人，皆可赴火蹈刃，死不旋踵。」這個組織有嚴格的紀律，一旦違反紀律，就會受到嚴懲。《呂氏春秋・去私》篇云：「墨者有鉅子腹䵍，居秦。其子殺人，秦惠王曰：『先生之年長矣，非有它子也，寡人已令吏弗誅矣。先生之以此聽寡人也。』腹䵍對曰：『墨者之法曰：殺人者死，傷人者刑。此所以禁殺傷人也。夫禁殺傷人者，天下之大義也。王雖為之賜而令吏弗誅，腹䵍不可不行墨者之法。』」其執法之嚴，可見一斑。這一派在後世，學術上沒有傳人。西漢之初百家復活，而墨家卻無聞，因為這一派走上瞭解困扶危的游俠之路。

此外，《藝文志》還列縱橫家、雜家與農家。這幾家或是外交上合縱連橫，沒有原則，唯利是圖；或是雜採百家，不成體系；或是農桑樹藝，務在稼穡。他們在政治上都沒有理論，沒有思想體系。故可略而不談。

在劉歆、班固的《諸子略》中，所採只是「馳說取合諸侯」，至於天文、曆譜等與「取合諸侯」無關而帶有技術的學說，則分別歸到了《方技略》《術數略》《兵書略》等之中。《隋書・經籍志》則把兵書、天文、歷數、五行、醫方之類，並歸於子部。《四庫全書總目》參酌歷代史志的分類，則將子部分為十四類，大大拓展了子學的內涵。其《子部總敘》云：

> 自六經以外立說者，皆子書也。其初亦相淆，自《七略》區而別之，名品乃定；其初亦相軋，自董仲舒別而白之，醇駁乃分。其中或佚不傳，或傳而後莫為繼，或古無其目而今增，古各為類而今合，大都篇帙繁富。可以自為部分者，儒家以外，有兵家，有法家，有農家，有醫家，有天文算法，有術數，有藝術，有譜錄，有雜家，有類書，有小說家，其別教則有釋家，有道家，敘而次之，凡十四類。

這樣便使得子學變為史學之外的又一龐雜的圖書門類。但大抵言之，思想著作即所謂「三教」、「九流」，才是子學的主體，其餘則暫略。

第二節　諸子精神與文化思潮的變遷

子學看似學術問題，實是與中國社會的文化思潮與精神風尚相聯繫的。一般認為，諸子遇戰國而興，至漢而衰、而亡。其實如果就戰國諸子某一家而言，可能有存亡問題；若就精神而言，諸子未嘗衰亡。這裏有兩個問題我們必須清楚：一是諸子思想是以「六經」為代表的價值觀念與文化精神應時之變而產生的一種文化形態，這從根本上確定了子學應時而變的文化特性；二是諸子的基本精神是理亂治世，追求政治上的統一。他們要用自己的一套思想學說，治理並統治國家，無論儒、墨、法、道，都是有政治抱負的。這就從根本上證實了一點，只要有政治存在，子學就不會衰亡。在中國兩千多年的歷史上，支配文化思潮變遷的不是其他，而是「諸子」。在每一個新的歷史時期，子學都會以一種新的形態出現，並支配一個時代人的精神與時代思潮。在各種思想之間，自然也存在著爭奪霸權的衝突與鬥爭。我們可以根據子學霸權的迭變，將戰國之後的歷史分為以下幾個段落。

1 秦：法家思想統治時代

在戰國諸子所提供的治世方案中，首先被採納並見諸實效、獲得霸主地位的是法家。秦國可以說是法家的一片試驗田。從商鞅起，法家思想就在秦國占據了統治地位。「秦行商君法而富強。」（《韓非子·和氏》）儘管商鞅後來被處死，但他的那種思想、治國之法並沒有死，因為他使秦國見到了利益，打好了秦滅六國的物質基礎，也培養起了秦國統治者的法治觀念。故秦始皇見法家韓非子的文章後，大加讚賞，表示如能與韓非同遊，死也無憾了；見了另一位法家代表人物李斯，則大加起用。最終是只有法治，不要意識形態，用「焚書坑儒」這一極端化的手段，使意識形態真空化，結果二世而亡。可以說，秦國的統一，是法家路線的最大勝利。而秦國統一政權的曇花一現，則是法家路線的最大失敗。秦國滅亡的教訓，宣告了法家在中國歷史上的死刑，使法治思想無法確立在意識形態中的位置。但秦國成功的經驗，又使得法治作為一種理亂手段，無法退出歷史舞臺。歷代統治者不得不陽以崇禮，陰用其術，包括親睹秦亡的漢家統治集團，也不得不以法止亂，以道御世。

2 漢初：道家黃老思想統治時代

漢朝從統一天下，歷惠、文、景，到武帝之初的七八十年間，可以說是黃老思想的統治時期。黃老思想是道家中的一個支派，起於戰國稷下，興於漢初。老子主張「清靜無為」，黃帝主張德刑並用（由出土《黃帝四經》可知），兼有養生之學。劉邦統治集團的高層人物中，陳平「少時本好黃帝老子之術」（《史記・陳丞相世家》）；張良後來「欲從赤松子游」，「學辟穀道引輕身」（《史記・留侯世家》）；曹參為齊國之相時，即採用黃老派的學者蓋公之言：「治道貴清靜而民自定」，「其治要用黃老術，故相齊九年，齊國安集，大稱賢相」。（《史記・曹相國世家》）蕭何本傳雖沒有說他好黃老，但《漢書・刑法志》云：「蕭、曹為相，填以無為。」看來他也是主張「無為而治」的。曹參代蕭何為相國，「清靜極言合道。然百姓離秦之酷後，參與休息無為，故天下俱稱其美矣」（《史記・曹相國世家》）。孝文帝即位，「好道家之學」（《史記・禮書》），又好刑名之學，「躬修玄默，勸趣農桑，減省租賦」。「懲惡亡秦之政，論議務在寬厚，恥言人之過失。化行天下」。（《漢書・刑法志》）故章太炎先生言：「自來學老子而至者，唯文帝一人耳。」（《國學講演錄・諸子略說》）其後孝景帝及竇太后，都尊崇黃老。《史記・外戚世家》言：「竇太后好黃帝老子言，帝及太子諸竇，不得不讀黃帝老子，尊其術。」直到武帝時的一批大臣，如曾居九卿之位的鄧公、汲黯、鄭當時等，也都是善黃老之學者。這樣看來，從漢初到武帝時的六七十年間，漢朝最高統治集團都是在黃老思想的指導下治理天下的。

從漢初思想家的情況看，也多受到了黃老思想影響。如陸賈《新語》中有《道基》《無為》，賈誼《新書》中有《道德說》，《韓詩外傳》中講「君道無為」。司馬談《論六家要旨》，最推崇的是道家。大儒董仲舒，其《春秋繁露．立元神》言：「為人君者，謹本詳始……安精養神，寂寞無為」，無疑所採也是黃老之說。

黃老一派的無為政治與刑德並施的理世手段，乃漢初道家學說應時之變而產生的一種新形態。漢初經過九年戰爭，民生凋敝，天下人口不及戰國之十之二三，經濟上竟到了「天子不能具純駟，宰相或乘牛車」的程度。因而，採取無為而治的策略，與民休息，就成了最佳選擇。但秦國的成功體現了刑的威力，失敗又體現了德的重要。於是治理天下，刑、德皆不可少。「刑德相養，逆順若成」(《黃帝四經．經法．姓爭》)，於是黃老之學便成了漢初最理想的統治思想，幫助漢室度過了最艱難的時期。

3 兩漢：儒家的經學思潮時代

黃老之學，對於漢初的社會形勢與政治環境來說，可以說是一劑良藥。但不論是法家還是黃老，他們雖於理亂治世確有顯效，卻不適合於作為一種意識形態。因為其中都隱有權術謀略，有非道德的因素存在。在這一點上，與儒家相比就大大遜色了。儒家與其他各家相比，不僅有孔子建立起來的一個經典文化體系，同時其德治思想與理論是中國傳統的、有三代歷史為支持的一種學說。因而在漢初百家復活的語境中，他們很快便顯示出了強大的優勢。加之這一派中出現了像董仲舒這樣的大師級人物，因而到武帝時便有了「罷黜百家，獨尊儒術」的歷史現象。儒家的再度復興，不是像先秦儒家如孟子、荀子之屬，在把握儒家基本精神與核心價值的原則下，創造新的學說，而是通過對經典的復原與重新詮釋，構建新的意識形態話語系統。他們借助官方的力量，設立了五經博士，遂形成了以經學為價值系統與知識系統的人才培養路徑，並由對經學的研究轉向了經術的實踐，於是形成了中國學術史上的一個經學時代，致使「公卿大夫士吏彬彬多文學之士」。《漢書・儒林傳》云：

> 自武帝立五經博士，開弟子員，設科射策，勸以官祿，訖於元始百有餘年，傳業者浸盛，支葉蕃滋，一經說至百餘萬言，大師眾至千餘人，蓋祿利之路然也。

甘露三年（前51年），漢宣帝召集諸儒，在石渠閣「講五經異同」，「上親稱制臨決」。這是中國歷史上第一次由皇帝出面組織的經學會議。至於這次會議實質上解決了什麼問題，這對我們並不重要，重要的是它標誌著一個經學全盛時代的到來。百年之後章帝建初四年（79年），第二次皇家經學會議召開——召諸儒會集白虎觀議「五經」異同，將經學研究推向了高峰。即如皮錫瑞《經學歷史》所云：「經學自漢元、成至後漢，為極盛時代。」

東漢初皇帝親自出馬講經，匈奴派子弟留學，其盛況猶甚於西漢。一位著名的經師動輒門徒數百人甚至上千人，而追隨者或「九千餘人」或「萬六千人」，即如《後漢書・儒林列傳論》所云：「其服儒衣，稱先王，遊庠序，聚橫塾者，蓋布之於邦域矣。若乃經生所處，不遠萬里之路，精廬暫建，贏糧動有千百，其耆名高義開門受徒者，編牒不下萬人。」《張霸傳》言：霸為會稽太守，「郡中爭厲志節，習經者以千數，道路但聞誦聲」。如此看來，經典傳播此時已遠遠不限於王官博士，而變成了一種社會化的活動。在西漢形成的各種經學流派，到東漢便各衍其流，通過官學與私學兩種管道，在各地傳播開來。

經學的昌盛，使儒學由一種學術思想而成為國家意識形態，儒家經典也在政治力量的支持下成為國家教條，直接制約了時代的思維與行為。以經典的是非為是非，幾乎成了這個時代的準則。如王莽時言治理河水問題，御史韓牧建議，照著《禹貢》記載的九河所在處挖河道，即便不能挖九條，挖上四五條也會大有益處的。（《漢書・溝洫志》）成帝時太中大夫平當，每有災異，輒援經術言得失。又因精通《禹貢》，而被委任治理河道。昭帝時，有一男子自稱是武帝的兒子衛太子，來見朝廷，群臣不知該如何對待。京兆尹雋不疑馬上派人把他捆了起來。理由是春秋時衛靈公太子蒯瞶，因得罪於靈公而出奔。及靈公卒，蒯瞶子輒嗣位，蒯瞶要求入衛，遭到拒絕。「輒拒而不納，《春秋》美之。今衛太子得罪先帝，亡不即死。今自來此，是罪人也。」（《漢書・雋疏於薛平彭傳》）漢代的這場尊崇儒術、表彰「六經」的文化運動，奠定了儒家思想在意識形態領域的統治地位。此後兩千多年，雖變故時有，但意識形態領域的統治權，基本上由儒家所壟斷。

4 魏晉：道家的玄學思潮時代

隨著漢王朝的衰亡，儒學霸權失落，意識形態領域出現混亂狀態，爭端紛起。如何收拾當時的殘局，用何種學說統一思想領域，儒、墨、法、道、名，到底哪一家的思想更適應時代的需求，這便成為一個時代課題。王弼《老子指歸略例》有如下一段評說：

> 法者尚乎齊同，而刑以檢之；名者尚乎定真，而言以正之；儒者尚乎全愛，而譽以進之；墨者尚乎儉嗇，而矯以立之；雜者尚乎眾美，而總以行之。夫刑以檢物，巧偽必生；名以定物，理恕必失；譽以進物，爭尚必起；矯以立物，乖違必作；雜以美物，穢亂必興。斯皆用其子而棄其母，物失所載，未足守也。

顯然，這是說儒、墨、名、法各家，都是拋棄根本（母）而抓末節（子），自然不能解決問題。只有老子的「道」，才能貫通各說，統一百家。王弼是一位天才的學者，僅活了二十四歲。十歲時便對《老子》感興趣，開始研究。他的認識是很符合當時形勢的。道家學說乘儒學衰落之際勃然而興，習慣上稱作「玄學」，也有人稱作新道家。「玄」之概念來自《老子》對道的描述：「玄之又玄，眾妙之門。」故有「玄妙」之說，言其道理深奧莫測。這個時代有三部著作幾乎是無人不知的，這就是《周易》《老子》《莊子》，世稱「三玄」。這三部書成為士大夫研究學習的中心。即如《晉書・孝懷帝紀》所云：「學者以老莊為宗而黜六經。」《文心雕龍・論說》云：「迄至正始，務欲守文，何晏之徒，始盛玄論。於是聃（老子）、周（莊子）當路，與尼父爭途矣。」從史書中不難看到，當時凡是有名頭的人，幾乎皆沉浸於老莊學說之中，如王弼「年十餘，好老氏」（《三國志・魏書・鍾會傳》注引何劭《王弼傳》）。鍾繇「為《周易》《老子》訓」（《世說新語・言語》注引《魏志》），夏侯玄有《道德論》，鍾會有《道論》。嵇康「博覽無不該通，長好老莊」；阮籍「博覽群籍，尤好老莊」；劉伶「盛言無為之化」；山濤「性好老莊」；王戎「唯談老莊為事」；阮放「常說老莊，不及軍國，明帝甚友愛之」；阮咸「貞素寡欲」，顯係得之老莊；王衍對老莊也「甚重之」；盧諶「好老莊，善屬文」；向秀「雅好老莊之學」；桓石秀「博涉群書，尤善老莊」等（皆見《晉書》本傳）。

玄學主要有兩派，一是貴無派，一是崇有派。貴無派的最大代表，是何晏和王弼。何晏有《論語集解》《周易私記》《孝經注》，王弼有《周易注》《老子道德經注》《老子指說》《論語釋疑》。他們以道注儒，引儒入道，對儒家經典進行了破壞性解讀。他們提出了以無為本、以有為末的宇宙本體論學說。《晉書・王衍傳》云：「魏正始中，何晏、王弼等祖述老莊，立論以為天地萬物皆以無為本。無也者，開物成務，無往而不存者也。陰陽恃以化生，萬物恃以成形，賢者恃以成德，不恃以免身。故無之為用，無爵而貴。」崇有派以向秀、裴頠、郭象等為代表。向秀著有《莊子注》，裴頠著有《崇有論》，郭象著有《莊子注》《論語體略》《論語隱》《老子注》等。這一派主張物之自生、自然。物自然而然，而不知其所以然，突然自生，而無所使之生。造物者無主，物各自造。貴無派起於魏，崇有派盛於晉，代表了玄學發展的兩個不同階段。

玄學大盛是在向秀、郭象出現之後，其後並出現了以老莊為本、以周孔為末、合儒道為一的現象。即如《晉書・李充傳》所云：「聖教救其末，老莊明其本，本末之塗殊，而為教一也。」由何、王而至竹林名士及郭、向，貴玄蹈虛，以無為本，放任自然，遂成時尚，成為一種時代精神，形成了所謂「魏晉風度」。老莊思潮反映了士大夫階層面對時代課題所作出的反應。《老子》貴無為，《莊子》任逍遙。崇尚老子，主張清靜無為，是為解除統治集團內部的相互傾軋所尋求的一條治國安邦之策；而推崇莊子，主張放任自然，則是為自己免於傾軋所尋求的一條安身立命之方。

5 南北朝隋唐：佛學思潮時代

佛學是繼玄學之後興起的一種文化思潮。「佛」是梵語「佛陀」的簡稱，其本義是「覺者」，即「覺悟了的人」。佛教徒用為對其創始人釋迦牟尼的尊稱。間或譯為浮屠。故《後漢紀・明帝紀下》云：「浮屠者，佛也。」佛教是由印度傳入中國的，始自後漢，歷魏晉而漸立足於中土。東晉以降，高僧與名士交遊形成風氣，遂使佛學與中國學術結合，逐漸本土化。中土諸子對於人死後的世界未作關注，而佛家的輪迴之說，正好填補了這一空白，故而迅速蔓延於中土各階層。南北朝而下至於隋唐，佛學之盛遂成為文化學術界的一大景觀。此時儒家思想雖經過南北分裂而歸於統一，恢復了意識形態領域的統治權，但當時的整個社會文化思潮卻是宗教性的，除中國本土的道教吸取了佛家的思辨而提升其理論飛速發展外，像外來的景教、祆教、摩尼教等，一時皆氾濫於中國，而居於霸主地位的無疑是佛教。

佛學之興其表現有四。一是人才之盛。優秀人才湧現於佛門，如僧肇、竺道生、法藏、玄奘、慧能等皆為絕頂聰明者。據尹繼佐、周山主編的《中國學術思潮興衰論》統計，隋唐兩代，正史《儒林》人物僅87人，而《高僧傳》正續所列僧人就多達997人，其隊伍之龐大可想而知。二是佛經翻譯、抄寫之盛。從隋初（581年）到唐貞元五年（789年），這兩百餘年間，共有譯者54人，譯經多達492部，2713卷。據《隋書・經籍志》言：「天下之人，從風而靡，競相景慕，民間佛經，多於六經數百倍。」三是佛寺建築之盛。詩有「南朝四百八十寺」、「天下名山僧占多」之言，即反映了佛寺之盛。據《唐六典》載，開元中天下寺共5358所。至唐武宗時，增至四萬所。四是宗派之盛。講佛學者各有宗派，近人綜為十宗，又有大乘、小乘之別。

佛教的輪迴報應之說的通俗說法與「一攝一切」、「一切一攝」的博大氣量，既滿足了世俗對來世的期盼，也成就了大唐含攝一切的文化精神與盛大氣象，使得帝王、官僚、文士、庶人，無不受佛家思想的浸染。

6 宋明：儒家理學思潮時代

佛學思潮雖興盛三四百年，但始終不能進入意識形態領域，也很難成為一種代表官方的統治思想。中唐之後，大儒韓愈出現，儒學再度復興。即如蘇軾《潮州韓文公廟碑》所云：「自東漢以來，道喪文弊，異端並起。歷唐貞觀開元之盛，輔以房、杜、姚、宋而不能救。

獨韓文公起布衣，談笑而麾之，天下靡然從公，復歸於正。」韓愈唱之，李翱和之，至宋而有周敦頤、張載、程顥、程頤、朱熹、陸九淵等繼起，遂使儒學以壓倒性優勢復居社會中心地位。但此時的儒學已應時而變，吸收了佛家與道家的理論，完成了自身的改造，與漢儒以經學為核心價值的儒學體系大不相同了，故後儒稱為新儒學。因在這一思潮中儒學提出了道統的問題，並以繼承「堯舜」、「周孔」道統自任，故而被稱為「道學」。又因其致力闡釋義理，兼談性命，認定「理」先天地而存在，把理作為最高範疇，以說明道德性命之學，故又稱作「理學」。

理學有兩個主要的流派，一是以二程、朱熹為代表的理學，一是以陸九淵、王陽明為代表的心學。朱熹是理學思潮中湧現的巔峰人物，他集新儒學之大成，提出了「理」是生物之「本」、「氣」是生物之「具」的「理氣論」學說與「心」具眾理、「性」即「天理」的「心性論」學說。要求通過修養功夫，「存天理，滅人欲」，完成道德自我的回歸。[1]心學強調生命體驗，主張「萬物皆備於我」、「心外無物」、「心即理」，為學的功夫全在「發明本心」。這一派的開創者是陸象山，集大成者是王陽明，至晚明而極盛。這兩派觀點雖不相同，卻能以平和之心進行切磋。在1175年，由呂祖謙邀集，理學與心學兩派的代表人物在信州（今江西上饒）的鵝湖寺舉行了一次學術辯論會，這就是學術史上著名的鵝湖之會。呂祖謙的本意是要調和朱熹與陸九淵兩派的爭執，結果卻使兩派的分歧更加突出。朱熹主張「即物而窮其理」，陸九淵則主張「心即理也」。朱熹主張「先道問學」，由博覽群書而獲取知識；陸九淵主張「發明本心」，不必多做讀書窮理工

1　參見《新儒學的集大成者——朱熹與南宋儒學》一章論述，見蒙培元、任文利：《國學舉要》（儒卷），武漢，湖北教育出版社，2002。

夫。兩派理論主張不同，但卻能相互包容，體現了傳統儒家的恕道與仁道。同時這場討論，也大有益於學術繁榮，故呂祖謙在《答祁邦用書》中就曾言及此次之會「甚有講論之益」。

宋明理學發展大約有五個階段。第一個階段是北宋，這是理學的形成期，朱熹《像贊》的理學六先生：周敦頤、司馬光、邵雍、張載、程顥、程頤等，都生活在這個時期。這一時期理學的一些重要範疇、命題已經提出。第二個時期是南宋，胡宏、呂祖謙、朱熹、陸九淵諸大家出現，門戶大分。朱熹建立了完整的理學思想體系，並將理學理想注入他自己所注的「四書」及與其後學共同完成的「五經」注釋中。陸九淵發展了謝良佐、王蘋、張九成的心學理論而自成一家。此時葉適的永嘉之學、陳亮的永康之學也一時並興。第三個階段是元至明初，此期朱子學說北傳，並確立了統治地位，朱熹注釋的「四書」及與其後學共同完成的《易》《詩》《書》《春秋》注，被定為科舉考試所必讀的教材，「述朱」時代開始。明成祖敕撰《四書大全》《五經大全》，均主朱學。第四個階段是明代中期，陳白沙、湛甘泉、王陽明出現，明代理學開始走出程朱陰影，形成自己的特色。黃宗羲云：「有明之學，至白沙始入精微……至陽明而始大。」（《明儒學案》卷八）王陽明推心學而形成高峰，此學說便成為一股巨流，掀起浪潮，風靡學術界，影響到文學、藝術等領域。第五個階段是晚明到清初，此期出現了理學的總結性著作，周汝登的《聖學宗傳》、孫奇逢的《理學宗傳》、黃宗羲的《宋元學案》與《明儒學案》等，都從不同的角度對理學用不同的方式作了總結。同時王夫之、顧炎武、顏元等人開始了對理學的批判，這標誌著理學時代的過去。

7 近代以降：西學思潮時代

理學思潮至清而衰，繼而復起者是近代西學思潮的興起。西學思潮可從太平天國洪秀全推倒中國的孔子、樹起西方的上帝算起。其後有改良派的變法維新、西方哲學概念以及各種理論的輸入，繼之五四新文化運動興起，科學、自由、民主遂成為時代的最強音。接著馬克思主義生根中國，反傳統成為時代潮流。傳統貴義賤利的價值觀以及以仁義道德為核心的人性論思想，受到了前所未有的批判。幾千年來一直受國人尊重的至聖孔子，一時間被打倒。就思想文化界的情形而言，這可以說是一個新的諸子時代，從19世紀末至今，新理論、新主義層出不窮。

我們從20世紀初算起：第一個十年，革命理論大傳播，孫中山首次明確提出「三大主義」的社會理想，馬克思主義首次被介紹到中國。與此同時，康有為完成其空想社會主義的大著《大同書》。第二個十年，東西方化問題的大論戰，即傳統所說的五四新文化運動時期的大論戰。論戰延續十餘年，先後參與者數百人，發表文章近千篇，專著數十種。第三個十年，主要是科學與玄學的論戰。論戰的焦點在能否有科學的人生觀、應該建立怎樣的人生觀，問題涉及科學的社會效果、科學與價值、科學與哲學、傳統與現代等。一時思想學界名流，如梁啟超、胡適、吳稚暉、張東蓀、林宰平、王星拱、唐鉞、任叔永、孫伏園、朱經農、陸志韋、范壽康等都參與了論戰。第四個十年，主要是中國社會性質的論戰，討論的焦點在中國當時的社會是資本主義社會，是封建主義社會，還是半封建半殖民地社會。參與論戰的，有以陶希聖為代表的「新生命派」，有以《新思潮》雜誌為基地的「新思潮派」，有的「托派」為陣地的「動力派」如嚴靈峰、任曙等人，還有其他一些自稱不屬於任何一派的討論文章。1934年後，論戰又開始轉移到了中國農村的社會性質問題上。面對當時中國農村經濟的情況，提出復興農村、救濟農村、鄉村建設等諸種方案。第五個十年，論爭發生在文學領域，主要圍繞著文藝的民族形式問題、文藝與政治關係問題、文藝與生活關係問題、現實主義和主觀的問題等來進行。第六個十年，即50年代，開始了思想領域的清理、整頓，發動了一連串的批判運動。關於對胡適、俞平伯資產階級唯心主義思想的批判、對「胡風反革命集團」的批判、對「資產階級左派」的批判都發生在此期。60年代開始了「意識形態領域翻天覆地的大革命」，即「文化大革命」。70年代繼「文化大革命」而進行了「批儒評法」運動。80年代掀起了又一輪的文化大討論，大量西方書籍在內地翻譯出版，許多西方理論被介紹到中國。與此同時，出現了批判中國國民性與中國傳統文化的力量。90年代是所謂科學與「偽科學」的鬥爭，建立在中國傳統道教與佛教理論基礎上的氣功盛行一時，並出現了一批兼具理論性與操作性的圖書。一批對科學主義極度崇拜的學者主動出擊，認為這是「偽科學」，與之展開了論戰。

總之，子學應時而變，並始終左右著歷史的發展方向。每一種思想文化思潮的興衰，都是武力無法干預的。強大的政治力量在其面前，也只可推波助瀾，而不能阻擋思想洪流。每一種理論和主義，都在追求社會最廣泛的認可，並覬覦霸權地位。這與戰國時代的諸子爭鳴，並無實質區分。

思考題

1. 《漢書・藝文志》對先秦諸子各派的源流是如何論述的？
2. 請比較儒、墨、道、名、法、陰陽各家思想的異同。
3. 諸子思潮是如何隨著時代變化的？
4. 請比較兩漢儒學與宋明理學的異同。

參考書目

張舜徽：《漢書藝文志通釋》，武漢，湖北教育出版社，1990。
呂思勉：《先秦學術概論》，北京，中國大百科全書出版社，1985。
侯外廬：《中國思想通史》，北京，人民出版社，1959。
韋政通：《中國思想史》，上海，上海書店，2004。

第八章
先秦諸子

先秦諸子是中國文化思想的一大淵藪，也是中國文化思想的根脈所在，因而為歷代思想家所不捨。章學誠言：「後世之文，其體皆備於戰國。」其實不只是文體，其思想取資也無不在戰國。秦漢以降，子學思潮與時皆變，追尋其根，無不源於戰國諸子。即使外來的釋學與西學，也是在與先秦諸子學說的遙接遠承中才得以落地生根、興盛於中土的。如釋學，若無戰國興起的神仙方術以及「虛靜守一」學說做歷史鋪墊，很難想像它能如此迅速地為中國人所接受。五四前後曾有人提出孔子是最早的社會主義者，其說雖屬荒唐，但也反映了馬克思主義在中國生根的思想環境條件。20世紀在「西學東漸」之後，先秦諸子成為學術界研究的一個熱點，出版了《先秦諸子繫年》《諸子考索》《諸子通考》《十批判書》《先秦諸子的若干研究》等一系列有分量的著作。而中國哲學史與思想史的研究者，更是把先秦諸子認作重中之重。但各家的一個共同趨向是，以西方的概念理解諸子，將諸子各自的體系支離為宇宙論、本體論、價值論、方法論、認識論等，或是歸納於各種主義（如唯心主義、唯物主義、相對主義等）之中。在這種分析歸納之中，諸子學說的生命之血不同程度地流失，留下的只是奄奄一息的軀體，學者們也由此而得出了中國哲學遠不及西方的結論。但正如姚奠中先生所說：「中國之所重，唯在所謂『內聖外王』之道，亦即『修己治人』之道也。雖間有偏重，大較則不出此範圍。道家然，儒家亦然，其他各家亦無不然。而西人與此等問題，則遠不如中國之博大精深也。故胡、馮二君之方法，即使於其所畫範圍內，可以自圓其說，然絕不能以此而得諸家學說之精神，亦不能視為治諸子之方法也。」（《姚奠中講習文集・論治諸子》）對於先秦百家，因大多著作不傳，故而一般所講述的主要有七家，即所謂七大哲人：老子、孔子、墨子、孟子、莊子、荀子、韓非子。「孔孟」我們在「經學」一編中已做了講述，以下主要介紹其餘五家。

第一節　老子與莊子

老子和莊子被後世視為道家的代表人物，老子則更是道家的始祖。其實這兩個人物是很不一樣的，他們只是在「道」的追求上相一致，人生目標實相差甚遠。

1 老子：處世智慧

老子是春秋時人，其時代略早於孔子。對他們的生平，我們所知甚少，只知道他姓李名聃，是楚苦縣人，做過周柱下史。孔子曾向他請教過關於禮的問題。據《史記》本傳云：「老子修道德，其學以自隱無名為務。居周久之，見周之衰，乃遂去。至關，關令尹喜曰：子將隱矣，強為我著書。於是老子乃著書上下篇，言道德之意五千餘言而去，莫知其所終。」又云：「蓋老子百有六十餘歲，或言二百餘歲，以其修道而養壽也。」這個記載使老子神秘化，在後世的傳說中被人為地仙化，成了以修煉長生之術為目的的道教的始祖。

老子

老子是一個絕頂聰明的人。《史記》云：「老子，隱君子也。」「隱」本來是不求彰名的，可是他卻有了絕大的名頭。他撒手不管人間事隱居起來，卻拋下了「五千言」，讓後人研究了幾千年，而且影響了整個世界。在西方，單單英文譯本就有四十多種；而在日本，僅江戶時代的《老子》注本就有一百四十多種，比四庫全書中收的《老子》注本還要多十幾倍。老子和孔子不同，孔子是以絕大的善良投身於社會，而老子則是以絕大的智慧游身於天地之間。孔子是教人怎樣「做人」，而老子是教人怎樣「處世」。孔子要人向社會負責，學會奉獻，做一個善良的有道德修養的人；而老子則是要人向自己負責，學會保護自己，做一個永遠立於不敗之地的人。孔子和老子都要人克己、讓而不爭，但孔子是出於對自身修養的需要，將「讓」看做一種社會道德；而老子則是出於對自己利益的維護或獲取新的利益的考慮，把「不爭」看做一種生存藝術。因此，聽孔子的人會很辛苦，辛苦的結果是為社會帶來利益，自己卻除了獲得「高尚」的聲譽之外，得不到任何物質實惠；聽老子的，雖然情感上暫時受些委屈，最終卻會獲得很大實惠。如果說「自私是人的本性」的話，那麼老子更能滿足人的本性需求，這或許就是老子能成為東西方共同感興趣的人物的一個原因。

老子的思想核心是一個「道」字。關於「道」，哲學家們有種種深奧的解釋，其實最通俗的說法就是世間萬事萬物所必須遵循的規律。天有天道，人有人道，人在社會中生存則有社會的一套操作規則，這也是道，人不遵循它就要吃虧。老子的書又叫《道德經》，德者，得也，是事物由「道」所得的特殊性質，也是「道」在萬物中的體現。所以《韓非子》解釋道：「德者，『道』之功。」《漢書・藝文志》說道家的一套是「君人南面之術」，這用來概括老子的思想是比較準確的。不過，仔細看來，老子是對全社會的人說話的，他是要把天地間的一切秘密告知世人，讓世界免除紛爭，使每個人都得到實惠。這種實惠的獲得就是以「道」為依據的，「返璞歸真」，順應自然，使人都處於嬰兒的純真狀態，這是他的道德理想。他的學說，最使我們關注的有三點：一是治國之方，二是處世之策，三是養生之道，這全部是為人生而設的。至於所謂宇宙論、本體論等，並不是他學說的本質。

就治國言，老子主張「無為」，即所謂「處無為之事，行不言之教」。「無為」就是不妄為，捨棄一切為己取利之心，一依天地自然的法則行事，不要人為地干涉事物的自然運行。「不言」就是不發號施令，「不言之教」其實是要去掉形式督促，用潛移默化的方式引導社會大眾。「多言數窮，不如守中（沖，虛）。」意思是不停地發佈號令，騷擾百姓會加速國家的敗亡，不如守住清靜無為之道，以不變應萬變。「治大國若烹小鮮」，烹調小魚時，不去腸不去鱗，不敢輕易攪動，否則就會糜爛，治理國家也是一樣，如果政令煩苛，百姓就會不安而產生社會動亂。「天下多忌諱，而民彌貧；民多利器，國家滋昏；人多伎巧，奇物滋起；法令滋章，盜賊多有。」忌諱、利器、伎巧、法令等，這一切在今人看來是最能展示人的才智或體現人類文明發展的東西，在老子眼裏則變成了禍亂之源。他認為絕頂聰明的人治理天下的絕招是不推舉所謂的賢人，這樣老百姓就不會去爭名利；不珍視稀有難得之物，如珠寶之類，這樣百姓就不會用非正當手段去謀取；不彰顯會引起人貪欲的事物，這樣人心也就不會為之迷亂。讓百姓心裏不要有任何思慮，保持清靜；填飽肚子，不要為飢餓奔走折騰。消除他們競爭名利的心志，增強他們的體魄，使他們沒有詐偽的心智與貪念，這樣天下自然就太平了。但這一切都要從統治者自身做起，故又說：「我無為而民自化，我好靜而民自正，我無事而民自富，我無欲而民自樸。」

就處世言，老子主張「不爭」。不爭是一種止息紛爭的手段，也是最高的競爭手段。「江海所以能為百谷王者，以善下之，故能為百谷王。是以聖人欲上民，必以言下之；欲先民，必以身後之。」「上善若水，水利萬物而不爭」，它能滋潤萬物，但不與萬物相爭，遇圓則圓，遇方則方，即使人們厭惡的卑污之地，它也能泰然處之，而眾多的生命反而都離不開它，使它處在了人無法與之相爭的崇高地位。這即所謂：「夫唯不爭，故天下莫能與之爭。」由此獲得的啟示是，在人世爭名利、爭權勢、爭各種利益的紛亂中，最好的方式就是「不爭」，不爭才會使你處於崇高地位。一個人有了功勞，就會以功自居，與人爭名譽，爭地位，其結果則是非但得不到，還會招致災禍，故而他強調「功成弗居」。這不僅可以免災，還可長保福德。故說：「夫惟弗居，是以不去。」人在利益面前，總會把自己放在第一位，其結果是可能得了小利而丟了大利。聰明的人是「後其身而身先，外其身而身存。非以其無私邪？故能成其私」。人總想戰勝別人，顯示自己的強大，其實最強大的是「柔」。「天下莫柔弱於水，而攻堅強者莫之能勝，以其無以易之。」「人之生也柔弱，其死也堅強。萬物草木之生也柔脆，其死也枯槁。故堅強者死之徒，柔弱者生之徒。」人總愛追求滿足，盡力保持富貴長存，老子則說：「持而盈之，不如其已。揣而銳之，不可長保。金玉滿堂，莫之能守。富貴而驕，自遺其咎。」人總愛表現自己，誇耀自己，老子則說：「不自見，故明；不自是，故彰；不自伐，故有功；不自矜，故長。」最智慧的人是以拙、愚的狀態表現出來，使世人對他幾乎視而不見，即所謂「大智若愚」、「大巧若拙」。

就養生言，老子主張「虛靜」。人之所以好爭，是因為人有欲望，並且難以滿足。這不僅引起了世間的紛爭，而且也使人傷神勞心，使自己的生命消耗在對貪欲的追求之中，故而老子強調人要戒欲、知足、淡泊、無為。他說：「五色令人目盲，五音令人耳聾，五味令人口爽，馳騁田獵令人心發狂，難得之貨令人行妨。是以聖人為腹不為目。」五色、五音、五味等，這裏所鋪陳的是一種縱情聲色犬馬的享樂生活，表面上是幸福與快樂的形態表現，是物質文明帶給人類的享受，實則在這種物欲的追求中，人的生命受到了很大損傷。「腹」與「目」代表了人類生活的兩個方面，「腹」代表的是生命的需要，「目」代表的是享樂欲望。為「腹」是根本，是對生命的關切；為「目」則是滿足感官的欲求，而這卻是以損傷生命為代價的。因為感官的功能是用於維持人的生存的，而享樂則是通過對感官的強烈刺激來達到歡娛目的的，這樣便背離了自然之道，必然損傷人的自然真性。所謂「目盲」、「耳聾」，就是指物欲享樂給生命帶來的損耗而言的。在自然狀態的生死淘汰中，有長壽者，有短命者。但有一部分人本可長壽而卻短命，這是因為「生生之厚」，求生太過了，奢侈淫逸，縱情酒色，糟蹋了性命。還有另一種情況，欲望追求，不知滿足，結果招致災禍，即所謂「罪莫大於可欲，禍莫大於不知足，咎莫大於欲得」。為此，破這個「欲」字就非常重要。破「欲」的方法就是「知足」。「知足不辱，知止不殆，可以長久。」河上公解釋為：「知足之人，絕利去欲，不辱其身。知可止，則財利不累身，聲色不亂於耳目，則身不危怠也。人能知止足，則福祿在己，治身者神不勞，治國者民不擾，故可長久。」知足則要「見素抱樸，少私寡欲」，要虛靜淡泊，使心靈處於清明狀態。老子說：「致虛極，守靜篤。」虛靜才是養生的根本。人心本是清明的，而後天的種種欲望追求及各種繁雜的知識攪亂了人的心境，使人心處在浮動不安的狀態中，所以需要極力「致虛」、「守靜」，恢復心靈的明淨。「夫物芸芸，各歸其根。歸根曰靜，靜曰覆命，覆命曰常，知常曰明。不知常，妄作，凶。」回歸本原曰「歸根」，復歸本性曰「覆命」。「常」是事物不易的法則，「明」是對事物永恆法則的領悟。生命只有在「靜」中才能獲得復生，也只有在領悟生命的法則中，才能使心靈歸於「靜」的狀態。如此才能符合自然之道，體道而行則可「沒身不殆」。

老子的哲學，可以說是極通俗的哲學，人人都能懂，人人都能接受，卻很難做到。江瑔說老子「盡泄天地之秘藏」，是因他抓住了事物的根本——即《漢書・藝文志》所說的「秉要執本」，抓住了人們平時所忽略了的道理。老子就是要教給人從反面思考問題的方法，他幾乎把一切問題都倒了過來。你想得到某種利益嗎？那就先付出一點，「將欲奪之，必固與之」；你想削弱對方的勢力嗎？那就讓他先張狂，「將使弱之，必固強之」。誇誇其談會顯得知識很淵博嗎？其實「知者不博，博者不知」。所謂「天下難事必作於易，天下大事必作於細」、「合抱之木，生於毫末；九層之臺，起於累土」、「曲則全，枉則直，窪則盈，敝則新」、「自見者不明，自是者不彰，自伐者無功，自矜者不長」、「知不知上，不知知病」等，無不是從事物的反面看的。所謂老子的辯證法，其實就是指的這種「反」的哲學。他抓住了事物的兩極，並看到了兩極之間的聯繫以及其相互轉化的本質與規律，故而能見正思反，慎始察終。但這卻是世人所忽略的。

2 莊子：人生境界

如果說老子講的是「處世哲學」的話，莊子談的則是「生命哲學」，因為他表現出的是對生命的極大關切，無論講「逍遙」，還是談「齊物」、「養生」，都是圍繞維護生命的健康快樂而立說的。老、莊雖同被認為是道家的代表，但老子是想結束混亂的社會紛爭，讓統治者聽己一言；而莊子則只管自己，不管社會，根本不與統治者搭話。老子意識到自己是世界中人，追求在競爭中立於不敗之地；而莊子則超然物外，追求一種境界。生與死是每一個人都要經歷的，在生與死

莊子

之間，每個生命都會根據自己的選擇畫出不同的曲線。選擇的道路有多條，但方向無非只有兩個，一是追求物質的實利，另一是追求精神的境界，老子和莊子選擇了不同的方向。老子表面上講「不爭」，講「無為」，而其實是要以「不爭」、「無為」為手段，獲取更大的物質實惠。莊子則不然，他完全淡化了物質追求，而把精力凝定在精神的層面上，使心靈達到無牽無掛的自由境界。老子雖然也談「攝生」，但那只是他理論的插曲；而對於生命意義的追求，則變成了莊子哲學的核心。老子是抽象說理，莊子則用故事講理。

據《史記》記載，莊子名周，蒙人（今河南商丘），曾做過「漆園吏」。生活時代大約與梁惠王、齊宣王同時。莊子是一個物質上非常貧窮的讀書人——這可以想像得到，因為他根本就不考慮生計，甚至貧窮到了以織草鞋為生的程度，有時不得不向人乞糧度日。可是他寧願餓死，也不願步入官場。據說，楚威王派使臣來請他出任楚相，他一口回絕：「千金重利，卿相尊位也，子獨不見郊祭之犧牛乎？養食之數歲，衣以文繡，以入太廟。當是之時，雖欲為孤豚，豈可得乎？子亟去，無污我。我寧遊戲污瀆之中自快，無為有國者所羈，終身不仕，以快吾志焉。」朋友做了梁國的大官，他說那官位只不過是臭老鼠的肉而已。友人到他處炫耀富貴，他罵人家是舐痔之徒，趕出門去。他對當時的社會完全採取了不合作的態度。他的朋友很少，真正交情深的只有一個，就是惠施。惠施死了，他哭得很傷心，這也可證明他們的交情。可惠施是他的朋友，也是他的辯敵，兩個人的學術觀點相去甚遠，一見面就辯個不休。最有名的是「濠梁觀魚」的一場辯論。《莊子・秋水》記載：

> 莊子與惠子游於濠梁之上。莊子曰：「鯈魚出遊從容，是魚樂也！」惠子曰：「子非魚，安知魚之樂？」莊子曰：「子非我，安知我不知魚之樂？」惠子曰：「我非子，固不知子矣。子固非魚也，子之不知魚之樂矣。」莊子曰：「請循其本。子曰女安知魚樂云者，既已知吾知之而問我，我知之濠上也。」

這場辯論顯示的不只是莊、惠二人的機智，更主要的是兩個人對事物不同的心態與認識方法。惠施是用科學的態度、邏輯的分析方法，來尋求事物的因果關係，他面對的不是生命，而是客觀事物。而莊子則是在心靈與自然的默契中，感受生命的意義。魚在水中那種出入從容的自得，不正是人世間生命本應獲得的一份快樂嗎？然而，利益紛爭、欲望追求、物累情牽，完全使生命處於焦慮、恐懼、躁動不安之中，難道這不是可悲的嗎？

歎人生之可悲，羨魚游之從容，由此出發，我們來看莊子哲學的終極目標。他不是像惠施所代表的名家那樣，討論名實概念範疇的問題，也不像老子那樣在對道的把握中，遊刃於權謀方略之中，更不像儒墨那樣為天下勞形傷神，消耗生命。他是要讓生命超越物累情牽的俗世泥淖，開拓一個新的人生境界，獲取充分的自由與快樂。他認為一切都是身外之物，唯有生命是屬於自己的，因而生命才是人生最根本、最寶貴的東西，人的一切追求，都應該以保持生命的健康、獨立、自由和快樂為原則。

在對於生命意義的追求中，最大的障礙來自兩個方面：一是生存憂慮，另一是欲望困擾。前者使莊子感到莫大的痛苦，因為他生活在一個「竊鉤者誅，竊國者為諸侯」的強盜世界裏，看到了「殊死者相枕也，桁楊者相推也，刑戮者相望也」(《在宥》) 的殘酷存在，生死無常，動輒得咎。《山木》講了這樣一個故事：「莊子行於山中，見大木，枝葉盛茂，伐木者止其旁而不取也。問其故，曰：『無所可用。』莊子曰：『此木以不材得終其天年。』夫子出於山，舍於故人之家。故人喜，命豎子殺雁而烹之。豎子請曰：『其一能鳴，其一不能鳴，請奚殺？』主人曰：『殺不能鳴者。』明日，弟子問於莊子曰：『昨日山中之木，以不材得終其天年；今主人之雁，以不材死。先生將何處？』莊子笑曰：『周將處夫材與不材之間。』」整個社會都處在吉凶未卜、動亂不安之中，無論「材」與「不材」，禍福都難預料，人終日生活在恐懼之中，這樣的生存景況，這樣的心理感受，能不痛苦嗎？再則，人活著就有口腹之累，在《至樂》篇中描寫了其與骷髏的對話，骷髏說什麼都不願意復活，就是因為活著太苦，不如死後能獲得解脫。

說到欲望困擾，這更是人生一大患。因為生命是人存在的根本，只有生命存在，才能談其他。人們本應該珍愛它，在健康與快樂中完成生命的歷程。但世人不知珍愛，反而濫用生命力，為了種種欲望勞心傷神，使生命之光在欲望的膨脹與追求之中走向毀滅，這難道不悲哀嗎？欲望是生命意義追求中最大的障礙，因為它使生命偏離了健康發展的方向。如「天下之所尊者，富貴壽善（令名）；所樂者，身安、厚味、美服、好色、音聲」，如果得不到，就會「大憂以懼」(《至樂》)。富貴之人，「五色亂目」、「五聲亂耳」、「五臭薰鼻」、「五味濁口」、「趣舍滑（亂）心」，這是對生命的殘害。「趣舍聲色以柴其內，皮弁鷸冠搢笏紳修以約其外，內支盈於柴柵，外重纆繳」(《天地》)，簡直與犯人差不多。然而，「富者苦身疾作」，一味地為財而勞心勞神；「貴者夜以繼日思慮善否」，一味為仕途官運而絞盡腦汁

(《至樂》)。莊子《齊物論》中曾這樣描寫俗世的心態：

> 其寐也魂交，其覺也形開。與接為構，日以心鬥。縵（柔奸）者、窖（陰險）者、密（深藏）者。小恐惴惴，大恐縵縵（驚恐失神貌）。其發若機栝，其司是非之謂也；其留如詛盟，其守勝（靜待機宜）之謂也；其殺如秋冬，以言其日消也；其溺之（於）所為之，不可使復之也；其厭（閉塞）也如緘，以言其老洫（老洫無水，全不流動）也。近死之心，莫使復陽（生）也。

人生活在如此的焦慮之中，哪裏還有幸福快樂可言呢？莊子把這種心稱作「近死之心」。他又說：

> 一受其成形，不亡以待盡。與物相刃相靡，其行盡如馳，而莫之能止，不亦悲乎！終身役役而不見其成功，苶然疲役而不知其所歸，可不哀邪！人謂之不死，奚益？其形化，其心與之然，可不謂大哀乎！人之生也，固若是芒（昏惑）乎？其我獨芒而人亦有不芒者乎？

在欲望之心的驅動下，人不是以物養生，而是使生命變成了欲望的奴隸，為物欲所驅使，「終身役役」而不自覺。生命的生機與意義，在利益追逐中完全喪失了。

要想使生命獲得生機與真實的意義，必須從生活的煩惱中解脫出來，超越生死、是非、貧富、貴賤、利害、善惡等世俗生活觀念的層面，進入一個新的生命境界，使心靈處於無牽無掛的「逍遙」境地。於是莊子提出了「齊萬物，等生死，同是非」的理論。「天地與我並生，萬物與我為一」，取消物與我的對立，泯其界域，物即我，我即物，物我兩忘，與自然化為一體。著名的「莊周夢蝶」的故事，即反映了他的這一觀點。所謂生與死、是與非都是相對而存在的。「方生方死，方死方生，方可方不可，方不可方可。」老婆死了，他非但不哭，反而鼓盆而歌，說：本來就沒有她，後來有了她，現在又沒有了她。這就像春夏秋冬四時迭起循生一樣，自然不必要悲傷了。至於是非，本來就是此亦一是非，彼亦一是非，是沒有定論的。毛嬙、西施長得很美嗎？可是「魚見之深入，鳥見之高飛，鹿見之決驟」。在潮濕的地方睡覺就會患風濕病嗎？泥鰍為什麼不？他要人們用這種方式打破自我中心主義，最大限度地減少與外界的摩擦，從而使心靈達到逍遙自得的境地。

在《讓王》篇中，莊子講到了「曾子居衛」的故事：

曾子居衛，縕袍無表，顏色腫噲，手足胼胝。三日不舉火，十年不製衣。正冠而纓絕，捉衿而肘見，納屨而踵決。曳縰而歌《商頌》，聲滿天地，若出金石。天子不得臣，諸侯不得友。故養志者忘形，養形者忘利，致道者忘心矣。

這是一個典型的不為物累、不為情傷的安貧樂道者的形象。生存之憂、欲望之惑在這裏完全被丟棄，他已完全從世俗的情懷中解脫。他追求的是心靈的一份安穩，堅持的是人性健康發展的方向，貧病飢寒都無法讓他改變這個方向，因而在逍遙自得中，使生命保持著健康、快樂、自由的狀態，保持著勃勃的生機。這也正是莊子所追求的境界。

總之，莊子的哲學，是痛苦時代醞釀出的哲學，是為解脫人生的痛苦而產生的。他淡化了物質層面的追求，走進的是一個更高的人生境界與層次。

老子、莊子的理論，聽起來都能接受，但要操作仍需修煉一番。

第二節　墨子、荀子與韓非子

墨子曾受業於儒者之門，荀子是戰國末儒家最大的代表，韓非子是荀子的學生。三人與儒皆有關係，而他們的思想主張卻相差甚遠。墨子講平等，荀子講隆禮，韓非講法術，各有所重，但目標卻只有一個，讓社會走向統一，建立新的秩序。

1 墨子：和平主義

在先秦諸子中，墨子是謎團最多的一人。《史記・孟子荀卿列傳》只有二十四字的記載：「蓋墨翟，宋之大夫，善守禦，為節用。或曰並孔子時，或曰在其後。」後來人關於他姓甚、名甚、何處人氏、生於何時等，都歧說紛紜。《元和姓纂》云：「墨氏，孤竹君之後，本墨臺氏，後改為墨氏。戰國時宋人墨翟，著書號《墨子》。」孔稚珪《北山移文》則稱墨子為「翟子」，似乎其又姓翟。江瑔《讀子卮言》有《墨子非姓墨》一章，也以為墨非其姓。錢穆以為墨子因受墨刑而稱墨，楊向奎認為墨翟是目夷之別寫，胡懷琛、衛聚賢等以為因面目

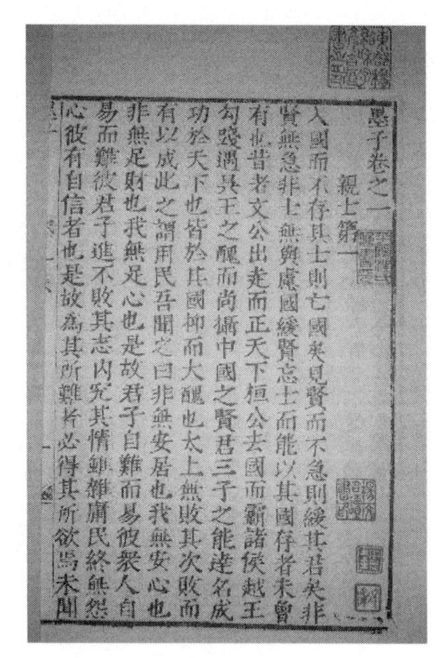
墨子卷之一
親士第一
人國而不存其士則亡國矣見賢而不急則緩其君矣非
賢無急非士無與慮國緩賢忘士而能以其國存者未曾
有也昔者文公出走而正天下桓公去國而霸諸侯越王
勾踐遇吳王之醜而尚攝中國之賢君三子之能達名成
功於天下也皆於其國抑而大醜也太上無敗其次敗而
有以成此之謂用民吾聞之曰非無安居也我無安心也
非無足財也我無足心也是故君子自難而易彼衆人自
易而難彼君子進不敗其志內究其情雖雜庸民終無怨
心彼有自信者也是故爲其所難者必得其所欲焉未聞

《墨子》書影

黑而名墨。至於其國別，則有宋人說（葛洪《神仙傳》、楊倞《荀子注》）、魯人說（《呂氏春秋・當染》，孫詒讓本之）、楚人說（畢沅、武億以「自魯往見荊王」之魯為魯陽，即楚邑）。20世紀又出現了阿拉伯人、印度佛教徒等說。如衛聚賢《古史研究》第二冊《墨子小傳》說《墨子・公孟》篇有人名「跌鼻」，即低鼻，墨子稱中國人低鼻，則其自為高鼻。孟子說：「墨子兼愛，摩頂放踵，利天下為之」，「摩頂」是禿頭，「放踵」是赤足。禿頂赤足，利天下為之，這分明是苦行僧的形象。關於他的身份，又有貴族、平民、奴隸、宗教徒等種種不同。

但無論關於墨子的身世多麼神秘，墨子的思想、行為以及他的為人，我們還是看得很清楚的。他是一個和平主義者，一生為反侵略、反戰爭而奮鬥不已。聽說楚國要攻宋，他便一面派弟子幫宋國守城，一面不辭勞苦十天十夜跑到楚國制止出兵。聽說魯陽文君要攻鄭，則又風塵僕僕跑去勸阻。齊國要攻魯，他也是極力勸阻。為此一生奔波不已。故《文子》云：「孔子無黔突，墨子無煖席，非貪祿也，欲為天下除害耳。」《莊子・天下》也說墨者「日夜不休，以自苦為極」。有人說墨子是平民階級的思想家，看來也不無道理。從他的吃苦精神來看，貴族出身的人實難忍受。在那個時代，人人都想平息社會動亂，使天下恢復和平、穩定，但採取的方式顯然各有不同。儒家和法家以及道家，都是想通過君主的手來實現自己的理想，希望君主能採納自己的治世方案。但墨子卻不同，他要靠自己的力量來實現理想，為此組織起了一個帶有宗教性質的集團，由這個團體的人共同行動來完成理想。可以說他是一個實踐家與布道者，他的最高目標就是建立一個「兼相愛交相利」的和平社會。

墨子認為天下之所以處於動亂與戰爭之中，就是因為人們「不相愛」。「天下之人皆不相愛，強必執弱，富必侮貧，貴必傲賤，詐必欺愚。凡天下禍篡怨恨其所以起者，以不相愛生也。」要想消除「亂」，就只有「兼愛」。兼愛就是人人平等相愛，「視人之國若視其國，視人之家若視其家，視人之身若視其身」（《兼愛》中）。近代西方的平等博愛思想傳入中國，國人雖驚以為高，卻不知早在兩千多年前，中國就產生了這種思想。在戰爭頻發的今天，墨子的思想對我們無疑是有啟發意義的。

以和平社會為目標，以兼愛思想為核心，墨子還提出了系統的治世理亂方案。在《墨子・魯問》中清楚地表述了他思想的十大綱領：

> 國家昏亂，則語之尚賢、尚同（政治觀）；國家貧，則語之節用、節葬（經濟觀）；國家熹淫湛湎，則語之非樂、非命（生活觀）；國家淫僻無禮，則語之尊天、事鬼（宗教觀）；國家務奪侵淩，則語之兼愛、非攻（道德觀）。

這十大綱領的基本精神就是平等，要強者勿淩弱，富者、貴者勿浪費材用，與平民齊等，甚至政治上也要求平等。這裏最令人驚詫的是他的政治學說與經濟學說。他在政治上主張尚賢、尚同，要求「選擇天下賢良、聖知、辯慧之人，立為天子，使從事乎一同天下之義」（《尚同》中）。這實際上是要建立民選政府，廢除貴族統治。又言：「雖在農與工肆之人，有能則舉之……故官無常貴，而民無常賤。」（《尚賢》上）君主是民主選舉，賢能由君主任用，這確實有些共和國的性質了。在經濟上主張節用、節葬，要求人人勞作，「賴其力者生，不賴其力者不生」（《非樂》上）。要社會上的人都能各盡所能，「凡天下群百工……各從事其所能」（《節用》中）。顯然他的這種思想與等級社會的要求是不相符的。在兩千多年前能產生這樣近於近代社會的思想，也足以顯示墨子的膽量和智慧了。

2 荀子：隆禮主義

如果說墨子的基本精神是平等的話，荀子則正好與之相反，是絕對不要平等的。他強調的是「禮別異」的禮。孔、孟都強調禮，但孔、孟之禮，有濃鬱的道德意味，而荀子的禮，則更多的是制度化傾向，具「定倫」、「明分」的功能。

荀子是先秦儒家的最後一位大師，趙國人，姓荀名況，字卿，又名孫卿，《漢書．藝文志》就稱他的書為《孫卿子》，這主要是因為「孫」、「荀」古音相通的原因。荀子有兩個得天獨厚的條件，一是他是戰國的最後一位學者，故有機會總百家之長，以之豐富、充實自己的學說；二是他的年壽很高，可能超過了百歲，秦統一六國時他還在世，故有豐富的閱歷。這兩個條件，使他的學說內涵豐富而又平實沉穩，不務虛誇，有很大的實踐可能性。在先秦時代，荀子的影響看來要大於孟子，孟子活動於東方的齊梁之間，而荀子則生於趙，游於齊，南至楚，西入秦，將儒家的學說傳遍了全國各地。故當時有人視荀子為「聖人」，稱「今之學者，得孫卿之遺言餘教，足以為天下法式表儀。所存者神，所過者化，觀其善行，孔子弗過」（《堯問》）。先秦諸子以崇古相勝，孔子從文化的角度推出了文王、周公，墨子便推出了更為古老的夏禹，孟子則更往上推舉出了堯舜，莊子則把「至德之世」推到神農氏之前的太古時代，一個比一個古老。到荀子則無法再往前推了，結果來了個一百八十度的大轉彎，提出了「法後王」的口號。這「後王」其實就是周盛世之王。之所以要法周王，就是因為周崇尚禮。他說：「禮莫大於聖王。聖王有百，吾孰法焉……欲觀聖王之跡，則於其粲然者矣，後王是也。」所謂堯舜禹湯等，那都太久遠了。「欲知上世，則審周道。」（《非相》）周是最後的王朝，其文物粲然，禮法昭然可見，效法周道，自然是最實際可行的方略。

荀子的思想可以說是以「性惡」為基石，以「勸學」為起點，以「隆禮」為核心，以「四海一家」為終極目標。他的「性惡說」，是遭人攻擊最多的理論。「性惡說」認為：「人之性惡，其善者偽也。」「偽」是人為的意思。「不可學、不可事而在人者謂之性；可學而能、可事而成之在人者謂之偽。」(《性惡》) 人之惡性「必將待師法然後正，得禮義然後治」(《性惡》)。這樣，這一理論又歸結到了「禮」上。他強調學習，實際上也是從禮出發的。「在物者莫明於珠玉，在人者莫明於禮義。」(《天論》) 禮義可以美人之身，故說：「君子之學也以美其身」，「始乎誦經，終乎讀禮」(《勸學》)。「故禮之生，為賢人以下至庶民也，非為成聖也；然而亦所以成聖也，不學不成。」(《大略》)

在荀子看來，禮是治亂的根本。他認為：「人生而有欲，欲而不得，則不能無求；求而無度量分界，則不能不爭。爭則亂，亂則窮。」(《禮論》) 這樣看來，欲望是人間動亂的根源。《王制》篇云：「物不能澹（贍）則必爭。」人的欲望沒有止境，而有限的財物又不可能滿足所有人的需求，如此則必然會因爭奪財物而發生動亂。《榮辱》篇亦云：「從（縱）人之欲，則勢不能容，物不能贍也。」面對這種情況，最有效的辦法就是採取禮制。禮具有「節欲」與「足欲」雙重功能。禮將人分為貧富貴賤不同的等級，每一個等級的人在物質享用上都有規定，人不能超越禮。這是「節欲」，即《致士》篇所云：「程者，物之準也；禮者，節之準也。程以立數，禮以定倫。」《禮論》篇亦云：「禮者，以財物為用，以貴賤為文，以多少為異，以隆殺為要。」這是說，車服旗章的裝飾，物用的多少，禮的厚薄，都是用來區別貴賤的。而由於禮的規定，使每一個等級的人都可以滿足其級別的需求，這是「足欲」。故荀子云：「先王惡其亂也，故制禮義以分之，以養人之欲，給人之求，使欲必不窮乎物，物必不屈於欲，兩者相持而長。」（《性惡》）又云：「先王案為之制禮義以分之，使有貴賤之等，長幼之差，知賢愚、能不能之分，皆使人載其事而各得其宜，然後使慤祿多少厚薄之稱，是夫群居和一之道也。」（《榮辱》）這一理論，對於遏制人類因無節制的物欲追求而帶來的危機，應該說是有一定借鑑意義的。

以「禮」為核心，荀子推衍出了一套為人、為君、為官的理論。在他的著作中，像《勸學》《修身》《不苟》等，是關於為人的；像《臣道》篇，是關於為臣的；《君道》《君子》《王制》等，是關於為君的。就做人言，他強調以禮修身。「禮者，所以正身也。」（《勸學》）「人無禮則不生，事無禮則不成國，家無禮則不寧。」（《修身》）。禮可以通過學習獲得，「君子之學也，以美其身」（《勸學》）。命運也可以通過學習改變：「我欲賤而貴，愚而智，貧而富，可乎？曰：其唯學乎？」（《儒效》）他像孔子一樣強調君子人格，如曰：「君子之求利也略，其遠害也早，其避辱也懼，其行道理也勇」；「君子貧窮而志廣」；「君子寬而不僈」等。就做官言，他一方面強調「以禮侍君，忠順而不懈」（《富國》）；另一方面則揣摩固寵全身之術，如曰：「持寵處位，終身不厭之術：主尊貴之，則恭敬而僔（撙，謙退）；主信愛之，則謹慎而嗛；主專任之，則拘守而詳；主安近之，則慎比而不邪；主疏遠之，則全一而不倍；主損絀之，則恐懼而不怨。貴而不為誇，信而不處謙，任重而不敢專。財利至，則善而不及也，必將盡辭讓之義，然後受。福事至則和而理，禍事至則靜而理。富則廣施，貧則用節。可貴可賤也，可富可貧也，可殺而不可使為奸也。」「求善處大重，理任大事，擅寵於萬乘之國，必無後患之術。莫若好同之，援賢博施，除怨而無妨害人。能耐任之，則慎行此道也；能而不耐任，且恐失寵，則莫若早同之，推賢讓能，而安隨其後。如是，有寵則必榮，失寵則必無罪。是事君者之寶，而必無後患之術也。」

(《仲尼》) 就為君而言，他強調以禮治國：「以禮分施，均遍而不偏」(《富國》)；強調平政愛民：「馬駭輿，則君子不安輿；庶人駭政，則君子不安位。馬駭輿，則莫若靜之；庶人駭政，則莫若惠之。選賢良，舉篤敬，興孝悌，收孤寡，補貧窮。如是，則庶人安政矣。庶人安政，然後君子安位。傳曰：『君者，舟也，庶人者，水也；水則載舟，水則覆舟。』此之謂也。故君人者，欲安，則莫若平政愛民矣；欲榮，則莫若隆禮敬士矣；欲立功名，則莫若尚賢使能矣——人君之大節也」(《王制》)；強調君的協群能力：「君者，何也？曰：能群也。能群也，何也？曰：善生養人者也，善班治人者也，善顯設人者也，善藩飾人者也。善生養人者人親之，善班治人者人安之，善顯設人者人樂之，善藩飾人者人榮之。四統者具，而天下歸之，夫是之謂能群」(《君道》)。值得思考的是，荀子的為人、為君的理論，都能出於正道，可是在談到為官時，卻特別強調保護自己，這無疑是官場自古多風險的反映。

《荀子》一書中有許多經驗性很強的精闢之論，如曰：「非我而當者，吾師也；是我而當者，吾友也；諂諛我者，吾賊也。故君子隆師而親友，以致惡其賊。」(《修身》)「與人善言，暖於布帛；傷人之言，深於矛戟。」(《榮辱》)「高上尊貴，不以驕人；聰明聖知，不以窮人；齊給速通，不爭先人；剛毅勇敢，不以傷人；不知則問，不能則學，雖能必讓，然後為德。遇君則修臣下之義，遇鄉則修長幼之

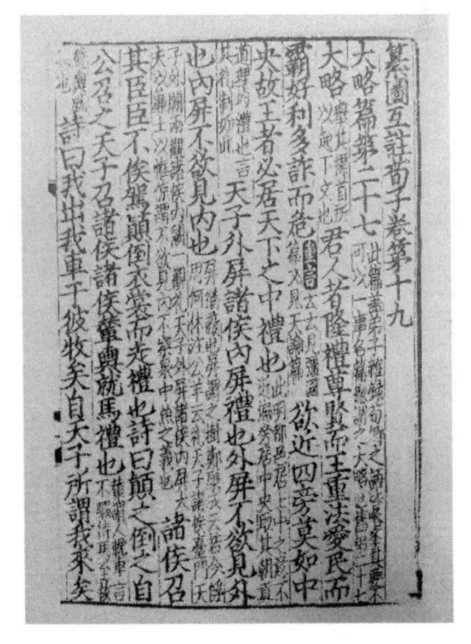
纂圖互註荀子卷第十九
大略篇第二十七
大略　君人者隆禮尊賢而王重法愛民而
霸好利多詐而危　欲近四旁莫如中
央故王者必居天下之中禮也
天子外屏諸侯內屏禮也外屏不欲見外
也內屏不欲見內也　諸侯召
其臣臣不俟駕顛倒衣裳而走禮也詩曰顛之倒之自
公召之天子召諸侯諸侯輦輿就馬禮也
詩曰我出我車于彼牧矣自天子所謂我來矣

荀子

義，遇長則修子弟之義，遇友則修禮節辭讓之義，遇賤而少者，則修告導寬容之義。無不愛也，無不敬也，無與人爭也，恢然如天地之苞萬物。如是，則賢者貴之，不肖者親之。」（《非十二子》）這些格言式的教誨，在今天看來也是很有教育意義的。

3 韓非子：專制主義

在荀子的理論中，有明顯的尊君傾向。到了韓非，則把這種尊君理論發展成為「專制主義」。韓非是韓國的貴公子，是大儒荀卿的學生。可是他的那一套與荀子完全不同，或者說是超越了荀子。荀子主張尊君，是要打造精神與政治合一的領袖；而韓非子只是要成就統一帝國的政治領袖，至於道德精神則全不要了。荀子說人性惡，是要通過教育讓人歸於正，合於禮；而韓非子則是把所有的人都看成是壞人，讓君主不要相信任何人。《史記》本傳說他「為人口吃，不能道說，而善著書」、「喜刑名法術之學，而其歸本於黃老」。他的一套理論大受秦始皇賞識，但他還沒有來得及為秦始皇重用，就被他的老同學陷害死於獄中。

秦始皇為什麼會對韓非子感興趣呢？因為秦始皇是一位極端的專制主義者，而韓非子的一套理論就是專為專制君主設立的。韓非子思想中最核心的三個字是法、術、勢，而這三者無一不是從專制者獲得利益的角度去考慮的。所謂「法」就是法令，是要讓天下百姓都必須曉知的行為規則。用韓非子的話說：「法者，編著之圖籍，設之於官府，而布之於百姓者也。」（《韓非子・難三》）「法」最主要的內容就是賞與罰。「人主者，守法責成以立功者也。」君主只要把握賞罰，國便可治而強，故云：「治強生於法。」在法的面前，沒有是非，不講感情，為君者只考慮如何依法賞罰，不考慮「仁下」；為臣者則考慮死力守職，不考慮「忠君」。「君通於不仁，臣通於不忠，則可以王矣。」(《外儲說右下》)「明主之國，臣不得以行義成榮，不得以家利為功，功名所生，必出於官法。」(《八經》) 這顯然是一種非常偏激的做法，說白了就是仁義道德全不要，只要法。法操握於君主之手，「事成君收其功，敗則臣任其罪」(《八經》)。一定要保證君主的絕對權威性與絕對正確性。關於行法的典範，韓非子曾舉過秦昭王的例子。秦昭王病了，有百姓買牛為他祈禱。昭王知道了，不但沒有嘉賞，反而重罰了禱告的人，因為他擅自為禱。昭王的理論是：「夫非令而擅禱，是愛寡人也。夫愛寡人，寡人亦且改法而心與之相循者，是法不立；法不立，亂亡之道也。不如人罰二甲而復與為治。」(《外儲說右下》)

所謂「術」，指的是權術，是君主駕馭臣子的手段。韓非子云：「術者，因任而授官，循名而責實，操殺生之柄，課群臣之能者也。」(《定法》)「法」是要讓天下人都明白的，而「術」則是「藏之於胸中，以偶眾端，而潛御群臣者也」(《難三》)。比如：「商太宰使少庶子之市，顧反而問之曰：『何見於市？』對曰：『無見也。』太宰曰：『雖然，何見也？』對曰：『市南之門外，甚眾牛車，僅可以行耳。』太宰因誡使者：『無敢告人吾所問於汝。』因召市吏而誚之曰：『市門之外，何多牛屎？』市吏甚怪太宰知之疾，乃悚懼其所也。」(《內儲說上》) 這就是術的具體應用。

所謂「勢」，就是權力、權勢，這是君主一刻都不能丟掉的。故韓非子說：「權勢不可以借人。」(《內儲說下》)「夫勢者，便治而利亂者也。」(《難勢》)「勢足以行法。」(《八經》) 有了權力，才可以禁暴、絕奸。

君主與法、術、勢三者的關係可以用駕車馬作喻，法如道路行軌，術如駕馭的技術，「國者，君之車也；勢者，君之馬也」(《外儲說右上》)。以術馭馬，駕車行道，便可行至千里。這就是韓非子理論的主體。在韓非子看來。君主最主要的是要把「勢」——權力緊緊掌握在手裏，而且要用「術」操縱「力」，來向臣下百姓行使法令——賞、罰，如此天下便可大治了。在法的面前，沒有「仁」，沒有「義」，根本不能相信臣下的忠心，君臣不同利，絕對沒有忠愛可言，只有法來說話。《漢書·藝文志》說法家「無教化，去仁愛，專任刑法，而欲以致治，至於殘害至親，傷恩薄厚」，這對於韓非子來說，還是很恰當的。

韓非子一方面從專制者的角度出發，總結並揣摩出了種種控制臣下的方法與手段。同時從專制的前提出發，也為臣下設計出了取信於君的種種方略。最典型的是《說難》篇。所謂「說難」，就是指向人主進說之難，也就是取信於君之難。他認為取信於君最大的難度在於「知所說之心，可以吾說當之」，即瞭解君主的心理需求，而採取相應的措施，投其所好。君主心理深不可測，一旦觸犯逆鱗，便有性命之憂。但要靠近他，取信於他，改變自己的命運，又「不可不察」、「不可不知」。鑑於此，韓非子在深入揣摩人主心理和總結歷史教訓的基礎上，提出了一系列進說之術。他提出進說大要在於「知飾所說之所矜而滅其所恥」，即懂得滿足君主自我誇耀的心理欲求，掩蓋其所自以為羞恥的行事。其次提出了八種進說的謀略：

第一，借公義之名勸急私之行。即所謂「彼有私急也，必以公義示而強之」。

第二，以卑下為高尚，鼓勵其不能自己之行。即所謂「其意有下也（如聲色犬馬之好），然而不能已，說者因為之飾其美而少其不為也」。

第三，以高尚為卑下，勸止其無法達到的目標追求。即所謂「其心有高也，而實不能及，說者為之舉其過而見其惡，而多其不行也」。

第四，給君主提供自我誇耀的根據。即所謂「有欲矜以智慧，則為之舉異事之同類者，多為之地（根據），使之資（借）說於我，而佯不知也，以資其智」。

第五，納言必以合於私利以相誘。即所謂「欲內（納）相存之言，則必以美名明之，而微見其合於私利也」。

第六，勸止必以合於私患相危。即所謂「欲陳危害之事，則顯其毀誹而微見其合於私患也」。

第七，借桑說槐，以免阿諛之嫌。即所謂「譽異人與同行者，規異事與同計者。有與同污者，則必以大飾其無傷也；有與同敗者，則必以明飾其無失也」。

第八，順風行舟，不掃君主之興。即所謂「彼自多其力，則毋以其難概（量米器，這裏做動詞，平抑之意）之也；自勇其斷，則無以其謫（過失）怒之；自智其計，則毋以其敗窮（窘）之」。

用今天的觀點來看，這真可說是一套揣摩領導意圖、以求加官晉爵的絕高招數。其鑽營之道雖無道德可言，但對我們瞭解官場、瞭解為官者的心理、瞭解社會，卻是大有好處的。而其中所展示出的韓非子的智慧，也使我們領略到了古代權術理論家的風采。

總之，墨子是和平主義者，像救世的苦行者，更多地考慮免除民眾的災難。荀子是「隆禮」主義者，以嚴肅的面孔對待世界，希圖在禮的規定下，完成人的品德修養與社會制度的建立。而韓非子則是專制主義者，以冰冷的心腸與超人的智慧，為專制者提供了一套可運作的程序，促成了統一帝國的實現。

思考題

1. 如何理解老子的處世智慧？
2. 如何評價莊子的人生境界？
3. 老子與莊子思想有何異同？
4. 墨子的基本主張是什麼？
5. 簡述荀子關於禮的論述。
6. 荀子「性惡論」與孟子「性善論」，你認為哪一種理論比較正確？為什麼？
7. 比較墨子與荀子思想的異同。
8. 韓非子思想的核心是什麼？
9. 如何評價韓非子關於「術」的理論？

參考書目

楊榮國：《中國古代思想史》，北京，生活．讀書．新知三聯書店，1954。
韋政通：《先秦七大哲學家》，南京，江蘇教育出版社，2006。
陳鼓應：《老子注譯及評介》，北京，中華書局，1984。
方勇、陸永品：《莊子詮評》，成都，巴蜀書社，1998。
王煥鑣：《墨子校釋》，杭州，浙江文藝出版社，1984。
王天海：《荀子校釋》，上海，上海古籍出版社，2005。
陳奇猷：《韓非子新校注》，上海，上海古籍出版社，2000。

第五編

文學

《說文》云:「文,錯畫也。象交文。」在甲骨金文中,「文」字像一個人正立形,胸部有刻畫的文飾,因此朱芳圃《殷周文字釋叢》以為即「文身」之「文」的本字。人體文飾謂之文,由此引申,文便有了花紋、紋理、文采、文字等種種含義。日月星辰為天之文,水文山脈為地之文,詩書禮儀為人之文。「文學」則是指人用語言文字創造的精神產品。《論語》中即出現了「文學」一詞,但指的是「文章博學」或「經籍文獻」,不是現在意義上的文學。今天所說的「文學」,古代只用一個「文」字來表示。如《後漢書》《晉書》《魏書》《北齊書》等,皆把以文章見稱的文士列入《文苑傳》。所謂「文苑」猶今所謂「文壇」,「文」即指「文辭」。昭明太子編《文選》,也是用一個「文」字概括文藝作品。梁蕭子顯撰《南齊書》,始列《文學傳》。其後姚思廉撰《梁書》《陳書》,亦改《文苑傳》為《文學傳》,以為「文即兼學」,故曰「文學」。劉昫撰《唐書》,則又改稱「文苑」。其後宋、明、清著史書,亦皆以「文苑傳」稱。在中國方志中則或作《藝文志》,或作《文詞志》,或作《麗藻志》,其所容納的多半是所謂「文學」的那種東西。歐陽修修《新唐書》,則改「文苑」為「文藝」,並聲明「但取以文自名者為『文藝』篇」,這大概是把寫文章作為一門技藝來認識了。即如宋周敦頤《通書・文辭》所說:「文辭,藝也。」後來元人修《金史》,亦沿用此稱。

今天所用的「文學」概念,是從日本引進的。魯迅在《門外文談》中就曾說過:「用那麼艱難的文字寫出來的古語摘要,我們先前也叫『文』，現在新派一點的叫『文學』，這不是從『文學子遊子夏』上割下來的，是從日本輸入，他們的對於英文 Literature 的譯名。」然而自從這個概念輸入以來，中國古代文學研究領域始終就沒有平靜過。從19世紀與20世紀之交第一部《中國文學史》始，一部接一部的中國文學史著作，都將經、史、子、集納入「文學」的範疇，而進行著「史」的尋繹。理論研究界則對這種現狀表現出了極為不滿的態度，認為把不是「文學」的東西也裝到了「文學」的菜籃子裏。於是又出現了所謂「純文學」與「雜文學」、「理智文學」與「感情文學」等的探討與爭議。一直到20世紀末，爭論還在持續。這種爭論主要原因有二，一是舶來的「文學」概念所攜帶的意義與中國傳統所謂的「文學」固有的意義相衝突。在中國文化傳統中，即前所說，「文學」指「文章博學」或關於文章典籍的學問，並非專指文藝作品。二是外來「文學」概念所攜帶的意義與漢語語義體系的衝突。從漢語的語義體系而言，「文」本可指詩文等文藝作品，而「學」字則有「學問」、「學識」、「學說」、「學科」之意，有研究的意味在內。其構詞範例，如「法學」是指研究法律的學科，「哲學」指研究哲理的學科，「史學」指研究歷史的學科，「政治學」指研究政治理論的學科。那麼，「文學」呢？顧名思義，則應該指研究「文」之學科，而現在卻指向了文藝作品本身。這顯然「名」、「實」之間出現了問題。現在看來，用「文藝」這個詞來指稱文學作品或創作，比「文學」一詞是要好一些的。因為詩文創作本身就是一門藝術。不過現在大家既然已經接受了這個概念，我們也只好「將錯就錯」了。在現代學術分類中，文學則與史學、哲學並峙，而成為一大學科。在傳統的四部分類中，文學則被列為集部。之所以稱為「集」，是因為詩文作品多以集的形式保存、流傳於世，如總集、別集之類。

第九章
文學概說

中國傳統文學理論最強調的一點是「教化」，這一理論發源於《毛詩序》。《毛詩序》一方面強調詩歌「經夫婦，成孝敬，厚人倫，美教化，移風俗」的價值，而另一方面又強調「上以風化下，下以風刺上」的功能，這實是要求文學肩負起社會道德的責任，以保證人性的健康發展與社會的穩定、和平。這一理論在中國古代一直占據著主導地位，成為文學創作的指導思想。故曹丕有「文章經國」之說，宋儒有「文以載道」之論。從這個意義上講，如果說「史學」是中國文化的一個監督系統的話，那麼，「文學」則是中國文化的德化系統。「史」起著法官的作用，「文」起著教官的作用，二者從不同的方面，確保著經學道德精神的落實。

同時，《詩序》又提出了「詩者，志之所之也，在心為志，發言為詩。情於中而形於言」的理論，這是從發生學的角度對文學作出的本體論的認識，強調了詩是個體生命激蕩高揚的聲音。它是在「心」的「志」和「動於中」的「情」的合一，「志」是帶有方向性的欲望追求的體現，「情」則是內在生命衝動的表徵。二者合一，構成了一種發自生命意識深處的力量，不可抗拒，也無法抗拒。這一理論，直接影響到了後世文學理論的發展，從陸機的「詩緣情」，到明清人之「情真」、「性靈」諸說，無不滲透著它的精神，而它也確實觸及了文學深邃的問題。

在此，需要說明的主要有兩個方面，即文學內在的心靈世界與外在的體裁表現問題。以下分而述之。

第一節　文學中的心靈世界

我國傳統「四分法」分文學為四大類，即詩歌、散文、小說、戲劇。就其要者言之，詩歌宣洩心中的情感，散文書寫不能釋懷的事、理，小說勾勒心靈所感受的世界形象，戲劇在演唱故事的同時，又在表達著世俗情懷。文學與哲學、史學以及人類學著作的最大不同，在於文學的情感色彩及其所展示的心靈世界。文學是生命的一種存在形式，因而無論詩、文還是小說、戲劇，其價值重心都在生命姿彩的展現上。因而我們講文學，首先需要揭示的便是文學中的心靈世界。揚雄有言：「言，心聲也；書，心畫也。」（《法言·問神》）王禹偁《答張扶書》云：「夫文，傳道明心也。」（《小畜集》卷十八）清代學者紀昀《鶴亭詩稿序》亦云：「心靈百變，物色萬端，逢所感觸，遂生寄託。」（《紀文達公遺集》卷九）所謂「心聲」、「心畫」、「明心」、「心靈寄託」，無非是說訴諸語言文字的文學乃心靈的圖像。心靈世界的展示，是文學最深刻的意義所在。

不過，這裏需要首先說明的是，「文學」是一個有著多重意義的存在。王弼《周易略例·明象》云：「夫象者，出意者也。言者，明象者也。盡意莫若象，盡象莫若言……意以象盡，象以言著。」此雖非專論文學，而實可揭文學之秘。「言」即語言，是文學的載體；「象」即物象，是生活世界的物質形態；「意」即心意，是作者的心靈表達。「言者所以明象」、「象者所以存意」，言、象、意，正代表著文學的三重世界。舊署為白樂天所作的《金針詩格》，言「詩有三本」、「以聲律為竅，以物象為骨，以意格為髓」。「聲律」、「物象」、「意格」，所代表的也正是文學的三個不同層面。清李重華《貞一齋詩說》亦言：「詩有三要：發竅於音，徵色於象，運神於意。」此雖專言詩，實可兼及全部的文學。我們參照前賢的這些理論，將文學劃分為三重世界。

文學的第一重是「語言世界」。這是形式層面上的最早被人們所認識的一個世界。劉勰《文心雕龍・情采》篇開首即言：「聖賢書辭，總稱文章，非採而何？」袁枚《續詩品・振採》說得更明確：「明珠非白，精金非黃。美人當前，爛如朝陽。雖抱仙骨，亦由嚴妝。匪沐何潔？非熏何香？西施蓬髮，終竟不臧。若非華羽，曷別鳳凰。」沒有語言層面的光彩，文學意義是會大打折扣的。中國古代關於文章學的論述，以及所謂字法、句法、章法之類的評說，「藝文志」、「文詞志」、「麗藻志」之類的命名，皆產生於對這個世界的探討。今人所謂的「文學性」、「語言藝術」，多半也是在這個層面上立說的。20世紀初，在關於中國文學界定的討論中，產生了「雜文學」、「理智的文學」等概念，這些概念的所指，在今人看來，多半都是非文學的文字。而前賢之所以要以「文學」視之，就是因為在語言的層面上，它們表現出來的纖巧弄思的特點，能給人以美感。中國第一部以文學的眼光所編撰的文學選本《文選》，其所取捨的標準就是「綜緝辭采」、「錯比文華」、「事出於沉思，義歸於翰藻」。儘管唐宋古文家，有反華麗文風的傾向，但他們對於詩歌韻律的講究，對於文章結構的布局，對於表情達意的追求，無一不是在語言的層面上下工夫的。韓愈的《師說》，不過一篇論說文，正是因為語言漂亮，而被認作古文經典之作。李白《上韓荊州書》，如果不是其文辭動人，一封阿諛逢迎的書信，根本不可能進入文學選本。因此可以說語言是文學的第一生命。

第二重是「生活世界」。這是作者著力要展開的內容層面上的一個世界。這個世界漫無邊際，現實生活的所有內容，幾乎都可以在這裏找到。歐陽修《代人上王樞密求先集序書》曰：「言以載事，而文以飾言。事信言文，乃能表見於後世。」(《歐陽文忠公文集》卷六十七）這裏所謂的「事」，包括了事物、人情、物理，即現實生活的一切內容。戲曲、小說，對於生活故事的描寫；詩歌、散文對於景物的描繪、對於抒情主人公形象的表現；辭賦對於事物的描摹，無一不是對生活世界的勾勒。所謂「文學是生活的反映」，正是在這個層面上立說的。20世紀中國文學理論界最大的成就就是充分認識到了文學對生活世界表現的意義。但要注意的是，文學作品中關於這個世界的勾勒，往往是心靈的幻影，而非真實存在的世界。葉夢得《石林避暑錄話》中記有如下一段故事：

> 子瞻在黃州……與數客飲江上，夜歸，江面際天，風露浩然，有當其意，乃作歌辭，所謂「夜闌風靜縠紋平，小舟從此逝，江海寄餘生」者，與客大歌數過而散。翌日，喧傳子瞻夜作此辭，掛冠服江邊，拏舟長嘯去矣。郡守徐君猷聞之，驚且懼，以為州失罪人，急命駕往謁。則子瞻鼻鼾如雷，猶未興也。

蘇東坡寫「小舟從此逝，江海寄餘生」，不過表達的是一種心情，是生活的幻想情景，可是人們卻以為真，便鬧出了大笑話。因此20世紀把文學的重心放在這個層面上，顯然是有問題的。

第三重是「心靈世界」。所謂「心靈」，包括情感、思想、意識、精神、思維、性格、心理、良知等諸多方面，即內在於人的一切。文學不是客觀世界的機械反映，而是作者在一定的文化背景下以生活世界為素材，編織出的心靈圖像。內在心靈支配著人的外在表現，人的行為實際上是心靈的外向化。因而在文學的「生活世界」背後，隱存著一個無限深廣的心靈世界。這個世界的光彩只有文學或藝術才能表現出來。文學之所以能脫離學術之附庸地位而獨立，就是因為她表現了史學、哲學等無法表現的心靈世界。她的獨立品格，正是在對民族心靈世界的展示中體現出來的。在「語言」的層面上，文學沒有獨立性可言，她隨時可能成為學術、科學的「侍婢」。如明汪機《怪脈》描寫醫家不治之症的脈相說：「雀啄連來三五啄，屋漏半日一點落。彈石硬來尋即散，搭指散亂真解索。魚翔似有一似無，蝦遊靜中跳一躍。」[1]用文學的語言來裝扮科學的論說，實際上是在「語言」的層面上對文學的奴役。在「生活」的層面上，文學也未能體現其個性，因為人類學家的著作，像林耀華的《金翼》、莊孔韶的《銀翅》等，也無一不是反映生活的，且局部描寫也十分細膩，也有虛構。只有在心靈的層面上，文學才能表現出其獨有的風采來。因為歷史、哲學、科學等都沒法進入這個領域。一種文字一旦具有了展示心靈世界的意義，它便成為文學自身了。

文學的第三重世界，是一個看不見的隱形世界。哲學、史學及科技著作，是有什麼說什麼，意義全在語言的表層，而文學的深刻意義則在語言的深處。用古人的話說是「意在言外」。在「言外」的那個「意」，就是心靈世界之光。文學的「生活世界」與「心靈世界」是兩種不同性質的存在，前者是意識領域的，後者則側重於無意識領域。20世紀文學觀念所關注的是意識的層面，即作者著意描寫的「生活世界」，同時也波及浮動在心靈世界表層的主體情感、思想傾向等。但這個世界的光彩，很大程度上取決於生命的浸入。《垓下歌》與《大風歌》，本出自草莽之夫，卻能流傳千古，根本的原因就在於這兩首詩，浸入了歌者全部的生命，這生命能夠撼動讀者意識深處的神經。而這「生命」卻是看不見的，是屬於無意識層面的。印度的《唱贊奧義書》中講述過這樣一個故事：烏達勒恪·阿壟尼對兒子

1　〔元〕戴起宗撰、〔明〕汪機補訂：《脈訣刊誤》，90頁，上海，上海科學技術出版社，1958。

說：「孩子，從樹上摘一顆無花果來。」兒子摘來了，他又說：「把它打開！」「打開了，父親。」「裏面有什麼？」「有籽。」「把籽破開！」「破開了，父親。」「在裏面看見有什麼啦？」「什麼也沒有！」阿璺尼於是說：「孩子，看不見的才是最精妙的東西，一棵大的無花果樹便是由此誕生的！」這個故事充滿哲理，它說明真正有價值的東西不在事物的表層，而在其內在意蘊。同樣，文學的價值重心，並不在表層的、看得見的、作者用藝術之筆精心構建的生活世界本身，而在於他注入生活世界軀殼的生命色素，即看不見但能感覺到並體悟到的、使生活世界充滿靈性和活力的無限廣闊的生命情感與精神力量。比如，王之渙的《登鸛雀樓》，可謂婦孺皆知，它的魅力何在呢？固然作者用白日、遠山、黃河、大海等自然意象，與「依」、「盡」、「入」、「流」等動態意象，所構建起的宏闊遼遠、永恆運轉的時空世界，給人們展示出了一種雄宏壯闊之美。然而在此表象的背後我們所感受到的是作者在創作時根本不可能意識到的那種奮發向上的精神風貌，那種奮力把握永恆世界的生命理想，那種人類追求欲的無限衝動，不是更能撼動讀者的內心世界嗎？此不也正是這首詩的生命力與價值重心之所在嗎？

我們可再舉杜牧《山行》為例：

遠上寒山石徑斜，白雲生處有人家。
停車坐愛楓林晚，霜葉紅於二月花。

研究者多從此詩表面的描寫入手，認為這首詩的妙處在於最後一句「霜葉紅於二月花」，把秋天描寫得像春天一樣美麗。而且還說後面的「紅」字與前面的「白」字相互映照，形成了詩篇的色彩美。卻忽略了此詩的重心在於對內心世界的展示。作者走出喧鬧的城市，遊覽於曲折的山路之間，闖入他視野的首先是那彎曲的山道上走向白雲生處的人，白雲生處沒有人世間的嘈雜，是多麼的祥和、寧靜！作者在仕途半生奔波的勞累、厭倦，使他對白雲深處的那一戶人家，產生了由衷的嚮往。在那裏面對悠閒的白雲，可以免除人世間的一切煩惱。可是就在這時，他突然發現了山坳中的一片楓林，經霜的楓葉，儘管生命就要結束，卻呈現出了火一樣的紅色。這燃起了他生活的激情——生命不能就這樣結束，它應該展示出最美麗的姿彩。這種心理只有經過長期奔波的人才會有，一個生氣勃勃的少年絕對無法體會。短短的四句詩，展示出了作者心靈世界中的巨大反覆與波動。如果把這首詩與明秦簡王朱誠泳的《山行》詩作一對比，就更容易說明問題了：

> 萬木陰陰石徑斜，亂山深處有人家。
> 春風滿耳多啼鳥，澗水流來半落花。

「寒山」給人以淒涼、寡欲的感覺，而「萬木」則是繁榮的氣象；白雲雖悠閒，亂山卻是喧鬧的。滿耳啼鳥、澗滿落花，一個清靜的山木被表現得如同自然界的鬧市。這哪裏是寫山中的景色，分明是作者榮華富貴心態的展現！

文學的「心靈世界」，就其性質而言，有兩個不同區域，一是存於意象之中的心理模式，一是存於「生活世界」背後的心靈表現。這裏所謂的「意象」，並非一般性的建構文學中「生活世界」的意象材料，而是在人類經驗的無數次重複中所生成的飽含著文化意義的「象」。這種意象中存在著兩種心理模式，一種是文人心理模式，一種是民族心理模式。署名賈島的《二南密旨》，曾對詩歌中意象的象徵意義作過如下的總結：

> 春晚，正風將壞之兆也；夏天，君暴也；夏殘，酷虐將消也；秋日，變為明時，正為暗亂也；殘秋，君加昏亂之兆也……風雷，君子感威令也；野燒，兵革昏亂也……

又曰：

> 幽石、好石，此喻君子之志也；岩嶺、岡樹、巢木、孤峰、高峰，此喻賢臣位也；山影、山色、山光，此喻君子之德也；亂峰、亂雲、寒雲、翳雲、碧雲，此喻佞臣得志也。

這裏所言無疑是詩人慣用的程序套語，但是，越是程序化的東西，越具有文化意義，因為它是在一定的文化氛圍中，在心靈的覺解、體悟、接受、傳播中形成的心理模式。比如，在古代詩人的筆下，「菊」意象中蘊有高潔、隱逸、傲骨天生、不同凡俗的品格。這一意義的生成，一方面與菊的自然屬性相聯繫，而另一方面則與屈原餐菊、陶淵明愛菊有關。人們一詠菊，就想到了菊花傲寒的品格，想到了屈原「夕餐秋菊之落英」，想到了陶淵明「採菊東籬下」。而且這一意識在歷代文人的人格追求中，不斷得到強化，於是便把傲寒品格與隱逸君子人格這一「意」鎔鑄在菊這一「象」中。因而中國文化中的菊意象，便凝結了文人的生活經驗與內心體驗。同時這一意象，也只有在文人的筆下，才具有這樣的意義，因而它隱存的是文人心理模式。

我們仍以杜牧《山行》中的意象為例。「寒山」意象多有淒涼、寡欲、感傷、無所追求之情的意義，如《楚辭 · 大招》：「魂乎無北，北有寒山，逴龍赩只。」（注：逴龍，山名也。赩，赤色，無草木貌也。言北方有常寒之山，陰不見日，名曰逴龍，其土赤色，不生草木，不可過之，必凍殺人也。）李白《涇溪南藍山下有落星潭可以卜築余泊舟石上寄何判官昌浩》：「沙帶秋月明，水搖寒山碧。佳境宜緩棹，清輝能留客。」杜甫《客亭》：「秋窗猶曙色，落木更天風。日出寒山外，江流宿霧中。聖朝無棄物，老病已成翁。多少殘生事，飄零似轉蓬。」「石徑」意象則與曲徑通幽相聯繫，如李白《尋山僧不遇作》：「石徑入丹壑，松門閉青苔。閒階有鳥跡，禪室無人開。」劉長卿《棲霞寺東峰尋南齊明徵君故居》：「山人今不見，山鳥自相從。長嘯辭明主，終身臥此峰。泉源通石徑，澗戶掩塵容。古墓依寒草，前朝寄老松。」白居易《題天竺南院贈閒元旻清四上人》：「山深景候晚，四月有餘春。竹寺過微雨，石徑無纖塵。」李東陽《和亨大修撰席上聯句贈行韻》：「石徑緣厓半入雲，獨開齋閣坐斜曛。」「白雲」意象則與悠閒自得、隱逸相聯繫，如陶弘景《詔問山中何所有賦詩以答》：「山中何所有，嶺上多白雲。只可自怡悅，不堪持寄君。」王績《山夜調琴》：「促軫乘明月，抽弦對白雲。從來山水韻，不使俗人聞。」張說《贈崔公》：「我聞西漢日，四老南山幽。長歌紫芝秀，高臥白雲浮。」李白《駕去溫泉宮後贈楊山人》：「待吾盡節報明主，然後相攜臥白雲。」這樣在一首詩中，寒山、石徑、白雲等構成的意境，便自然把期慕隱逸的心態呈現出來。

另一種是民族心理模式。這一心理模式是植根於民俗文化之中的。也就是說，某些意象是民族心智的結晶，也蘊藏著民族悲歡離合的歷史秘密。如「狼」這一意象，在哈薩克族、蒙古族等民族中，有勇敢、強悍的象徵意義，是作為正面形象出現的；而在漢族文化中，它卻是兇殘貪狠的象徵，代表著罪惡。考唐前文獻，狼意象是具有兩重性的，它既可以象徵兇殘貪狠，也可以象徵勇敢，在《詩經》解釋系統中，它還可以象徵聖德（如《詩序》曰：「《狼跋》，美周公也」）。但在唐以後，它只剩下了兇殘貪狠、不講道義這一重意義，顯然這一意象的生成是與北方以狼為圖騰的游牧民族長期侵擾中原農耕民族有關的。高舉狼頭旗的草原游牧民族，一次次的南犯與野蠻的掠奪，造成了中原民族心靈的創傷，遂而將狼的兇殘與游牧民族的野性聯繫起來，形成了漢文化中狼意象的穩定意義。反言之，在狼意象兇狠貪殘的象徵背後，隱藏著民族痛苦的歷史。因而狼無論是在文人的筆下，還是在民間故事中，除了兇狠貪殘、不講道義，幾乎別無他意。

不過，文學意象中隱存的文人心理模式或民族心理模式，都是凝定的靜態的心靈圖景，而更廣闊的氣象萬千的心靈世界，則隱存在由眾多意象構成的生活世界背後。這是一個動態的心靈區域，也是我們需要著力發掘的一個領域。這個領域可分為四個層次。

第一是個性的層次。這是我們接觸作品首先能感受到的且研究者難以迴避的一個表層層面。許多批評家評價作品藝術的高低，往往是從這個層面上立說的。形象越鮮明生動，感情越具活力，作家的藝術手段越高，同時對於作家及作品個性心靈世界的展示也就越鮮明。在這個層面上，往往是意識與無意識相交織，而更突出的是意識形態領域的東西，是作者著意要表現的思想傾向、情感狀態方面的東西。在展示這個層面的時候，作者或作品中的主人公，都有著非常強烈的自我意識，他要向世界公布的就是「我」，是一個獨立於任何外物而存在的「我」，用文學批評術語說，就是「這一個」。

第二是群體性的層次。這是在個性層面下覆蓋著的一個層次。以前所謂的階級性，就是這個層面上的東西，所謂的典型意義，也是在這個層面上立說的。社會有各個不同的群體、集團、階層、行業、地域等，他們的思想感情、性格特點、群體心理等，必然要從個體中表現出來。文學作品在表現個體的形象及情感的同時，不可迴避地要表現出其所屬群體的思想與行為特點。在此及以下幾個層面上，古代文人與現當代作家之間有著顯著的不同。古代作家對此及以下幾個層面的表現往往是無意識的，因為他們所注意的是「我」與「生活」相遇的那種感受、認識，在創作上沒有理論的範式。而現當代作家因為有種種理論的導引、種種觀念的先在，因此在這個層面上往往有所用力。20世紀中葉革命文藝界所大力宣導否定人性而張揚階級性的行為，即對文學表現群體性層面價值的充分肯定。但因為本文重在討論古代文學的問題，故以下凡涉及現當代文學創作、理論與研究的問題，一概予以忽略。

第三是民族性的層次。這是一個最基本的層面。一般說來，一部文學作品，如果不能表現這個層面上的東西，就不可能成為傳世之作。為全民族所喜愛的文學藝術，無一不是在這方面有突出表現的。《水滸傳》的故事之所以為廣大民眾喜聞樂見，並不因為它講的是三個女人與一群男人的故事，而是因為它所講的是異性兄弟的情義，是在社會黑暗勢力的壓力之下，共同走到一起的人們團結戰鬥、生死與共的「江湖義氣」與「忠心赤膽」。而「忠義」二字正是民族所崇尚、所追求的人生理想。因而這故事可以一直講下去，這個民族也就可以一直聽下去。作者在創作眾多的藝術形象與張揚「忠義」精神的同時，不可能意識到這就是民族層面上的東西，也不可能想到作品的生命會因這個層面的存在而得到延伸。但作為文學，只有在這個層面上充分地展示，才具有與世界其他民族進行對話的能力，才有可能在更廣闊的時空得到傳播。

第四是人性的層次。這是當代作家與批評家最側重的一個層面。它所表現的是人類共存的東西，因而有著更廣闊的空間。在世界民族之林中，文學作為各個民族的精神產品，「民族性」是其具備民族之間對話能力的基礎，而其所展示的「人性」層面，則是民族之間能夠溝通的依據。比如屈原，他是中國特殊的歷史造就的人物，是忠奸鬥爭中一個可憐的失敗者，也是一位胸懷大志、無力補天的不遇之士。可以說，假如沒有君主專制社會忠臣遭讒、佞臣當道的歷史長期重演，沒有封建時代大批知識分子懷才不遇的悲劇命運，沒有近千年的民族坎坷史；或者說，屈原不是投江自殺，而是老死深山，或者是被流放之後組織地方武裝去反抗強秦而被敵所殺，或是為楚王所殺，屈原絕不會有今天這麼大的影響和聲譽。屈原那種失去獨立人格的行為表現與當代西方人崇尚個體獨立自由的思想傾向是非常矛盾的，可他為什麼會被列入世界四大文化名人之列？他的作品為什麼會被譯成英、法、德、意、日等多種文字在國外流傳？很顯然，這是因為這些作品不僅有豐富的想像力、獨特的表現自我感情的方式，更主要的在於它們所表達出的是失去依歸的生命在尋找安頓中的痛苦、焦慮、絕望與哀號（《離騷》），是人類圓滿渴望的一次次幻滅（《九歌》），是超越生之困惑的努力與掙扎（《天問》），是走向死亡的痛苦選擇（《九章》）。而這一切都是發自人性生命意識深處的呼喊，故儘管屈原是地地道道的民族文化造就的一個人物，他的作品卻能在不同文化的人群中傳播並產生情感上的共鳴、震盪。

這四個層次是一個有機的整體，可以在一個「藝術個性」中同時展開。就以王之渙的《登鸛雀樓》為例，詩中所表現的作者對遼闊無垠、生生不息的宇宙時空的感受，無疑是自我情感的展示；而詩中所呈現出的奮發向上的精神力量，則是中國傳統士大夫階級在博取功名利祿的上升時期表現出的風采；詩中俯仰天地、奮力把握永恆世界的理想，則是中國傳統「仰觀俯察」把握宇宙精神的思維模式的展示。（如《周易・繫辭上》:「仰以觀於天文，俯以察於地理，是故知幽明之故。」《繫辭下》:「古者包犧氏之王天下也，仰則觀象於天，俯則觀法於地……」宋玉《高唐賦》:「上屬於天，下見於淵」，「仰視山顛……俯視崝嶸……」張衡《歸田賦》:「仰飛纖繳，俯釣長流……」

班固《西京賦》:「仰悟東井之精，俯協河圖之靈。」嵇康《養生論》曰:「仰觀俯察，莫不皆然。」潘岳《懷舊賦》:「仰睎歸雲，俯鏡泉流。」成公綏《隸書體》:「仰而望之，鬱若霄霧朝升，游煙連雲；俯而察之，漂若清風厲水，漪瀾成文。」王羲之《蘭亭詩》:「仰視碧雲天，俯瞰淥水濱。」《蘭亭集序》:「仰觀宇宙之大，俯察品類之盛。」等，皆此一思維之體現。）而那種人生不懈的追求欲的呈現，則又是人性深處永恆的衝動。簡言之，我是我，這是個性的層次；我是書生，這是群體性的層次；我是中國人，這是民族性的層次；我是人，這是人性的層次。個性、群體性、民族性、人性，都寓於「我」這個個體之中。「我」是一個活生生的、可以感知的個性生命存在。就像一棵樹，我們可以看到它的獨特的形式表現，只是露出地面的部分，它的下面則是深紮在土壤中的根，群體性、民族性和人性就是根所生長的不同層次的土壤，根紮得越深，樹就長得越茂盛。紮根於花盆中的樹，是絕對沒有生命力的。「我」的鮮明的個性只有根植於深厚的民族文化以及人類文化的土壤之中，才能充滿生命的活力，對活潑的生命產生強大的感染力。

第二節　詩文的體裁分類

體裁是文學外在的形式表現。在三千年的文學歷程中，大多數時間占據文壇中心地位的是詩文。雖說元明以來小說、戲劇興盛起來，但就創作隊伍的社會、政治地位與文化素質來看，小說家根本無法與詩文作者相比。因而在社會上層流行的仍然是詩文。上至王侯顯貴，下至一般士大夫，幾乎很少有不作詩文的，詩文成了一種身份地位與才能的說明書。小說、戲劇因不登大雅之堂，故像今人所推崇的所謂「四大古典小說名著」和「四大戲劇名著」，在《四庫全書》中都沒有位置。就文學體裁而言，詩文也最為複雜，故此處重點介紹詩文。

詩文體裁的分類，可以說是「文學」之目下的一大學問。今見到的最早的詩文選集《文選》，其列文體多達39種。劉勰《文心雕龍》中提到的文體多達60餘種。宋代姚鉉《唐文粹》，分文體為23類，而其子目則有316種。各家分類互有不同，即可看出問題的複雜性。以下參考諸家之說，略述其要者。

1 詩之體裁

詩是文學史上最早出現的體裁。「詩言志」是中國詩歌史上形成的最早的理論，這個理論為後人留下了無限的可闡釋空間。詩與其他文體最顯著的不同有兩點：一是其巨大的情感力量與神秘功能，即《詩序》所說：「正得失、動天地、感鬼神，莫近乎詩」；二是其明快簡潔、富有韻律的音樂般的語言。由此而使詩具有了永久的魅力，作為中國文學中最具情感力量的主流河道，貫穿於幾千年的歷史中。在歷史的發展中，由四言，到五古、七古，到格律詩，詩體隨時而變，並影響到生活的方方面面，從古代建築的廳壁石碑，到客堂掛軸、山水繪畫、摩崖石刻，以至現代裝潢藝術，到處可以見到詩。詩裝飾了中國人的生活，也豐富了中國人的人生情趣。

如果我們從韻律的角度，把有韻的文體都歸於詩的範圍的話，那麼詩體就可分為主流與支衍兩大類。主流詩體有兩大宗，即古體與近體（格律詩），在傳統文人的集子中所占比重較大，而且始終都冠以詩名，也最為傳統文人所重視。詩的支衍則特別多，有騷、賦、頌、贊、箴、銘、辭、連珠、誄、哀、詞、曲諸多名目。以下擇其要者介紹數種。

一、古體詩　古體詩是相對於格律詩而言的。唐以前人寫詩，只講葉韻，不講平仄格律。唐以後格律詩興起，於是就把不依格律寫作的詩稱作「古體詩」或「古詩」。古體詩的特點是除了押韻之外，不受任何限制。如每句的字數，可是五言，也可以是七言，以表達意思、讀來順口為準。每篇詩可以是四句，也可以是六句、八句，甚至更長，以意思表達完整為準。不講平仄，不講對仗，沒有格律的束縛，可自由地表達情感，因而古體中往往能呈現出一種古樸、渾元之氣來，宜於表達世俗的生活內容。像杜甫的「三吏」、「三別」，即用古體。明吳訥《文章辨體》將「古詩」分為四類，即四言、五言、七言、歌行。歌行體是受樂府詩影響產生的，風格、語言都學習漢魏樂府，句式以五、七言為主，間以雜言。有些短小的古體詩，近於格律詩。像李白的《靜夜思》，看起來像五言絕句，其實是一首古體，因為它全不講平仄。

二、格律詩　格律詩是按一定的平仄要求寫出的詩歌，有格式、音律上的要求，故叫格律詩。因為產生並流行於唐以後，與古體相較，時間為近，故又稱「近體」。這種詩體讀起來音樂感很強，語言抑揚頓挫，結構起承黏連，形式上顯然比古體詩精美，藝術上也顯然達到了極精緻完美的程度，因而成了唐以後詩歌最普遍的形式，也宜於表現高雅的生活內容。格律詩分絕句、律詩兩種。從語言上分，又有五律、七律、五絕、七絕之別。我們以譚嗣同的《崆峒》詩為例：

斗星高被眾峰吞，（仄平平仄仄平平）
莽蕩山河劍氣昏。（仄仄平平仄仄平）
隔斷塵寰雲似海，（仄仄平平平仄仄）
劃開天路嶺為門。（平平平仄仄平平）
松拏霄漢來龍鬥，（平平平仄平平仄）
石負苔衣挾獸奔。（仄仄平平平仄仄）
四望桃花紅滿谷，（仄仄平平平仄仄）
不應仍問武陵源。（平平仄仄仄平平）

這首詩大氣磅礴，寫出了崆峒的雄偉高峻，也寫出了山周邊的美好景致。上下兩句間平仄相對，兩聯相接的二句相互黏連，這是一首標準的七律。依律詩格律截取兩聯成四句，則為絕句。律詩也有不大合於格律的，即稱拗體。如丘濬《詠五指山》詩云：

> 五峰如指翠相連，撐起炎荒半壁天。
> 夜盥銀河摘星斗，朝探碧落弄雲煙。
> 雨餘玉筍空中現，月出明珠掌上懸。
> 豈是巨靈伸一臂，遙從海外數中原。

像第三句「星」字是平聲，依律當為仄聲字才是。

三、騷體詩　騷體詩是由戰國時著名詩人屈原所創立的一種詩體。其代表作是《離騷》，所以後人稱作騷體。又因為它產生於楚國的歌辭，所以又稱作「楚辭」。騷體的特點是，在句子的中間或前一句的末尾有一個「兮」字。「兮」字相當於「啊」字，這是一個表達強烈情感的語助詞，放在歌辭中，最能表達放聲而歌的情懷。如《離騷》云：

> 余固知謇謇之為患兮，忍而不能舍也。
> 指九天以為正兮，夫惟靈修之故也！
> ……
> 忳郁邑余侘傺兮，吾獨窮困乎此時也。
> 寧溘死以流亡兮，余不忍為此態也！

這裏表達的是不遇之士的情懷。幾個「兮」字那種深長的詠歎，將詩人的激憤與憂傷一泄而出，產生出強烈的情感力量。《離騷》基本上奠定了騷體詩以發洩牢騷為主旨的基調，這種詩體也非常宜於表達憂憤與不得志的情懷，故而從屈原始，騷體便承擔起了宣洩文人心中鬱悶、嫉俗情懷的使命。像漢代賈誼的《弔屈原賦》、莊忌的《哀時命》以及署名蔡文姬的《胡笳十八拍》等，所表達的都是類似的情感。在此中我們很難見到歡樂、明快的作品。許多文人，寫風花雪月時選擇古體或格律詩，而要寫心中鬱悶不平及不得志的情懷時，則往往要選擇騷體。如果要研究中國的感傷文學，此類詩體則是一個重點關注的對象。

四、賦體　賦是介於詩文之間的一種文體，由散文的語言、詩的韻律構成，因為是有韻之文，故這裏把它歸於詩類。古人也認為它是「古詩之流」。現在的古文選本則多把它歸在文類。賦是「鋪」的意思，用《文心雕龍》的話說，其特點是「鋪采摛文，體物寫志」，即鋪敘文采，體察事物，抒寫志懷。這種文體可以說是最早脫離音樂而獨立的一種文學樣式，因而它最能表現出文人的文采來。雖然關於賦的起源，學術界有不同的意見，但漢代是賦的鼎盛時期，這一點則是公認的。從漢賦中可以看到賦在描摹事物方面的功能。如司馬相如《子虛》《上林》二賦，盡誇飾之能事，寫到水，則水旁之字聯綴成片；要寫山，則山部字排列成行，真有點「巍巍乎若高山，洋洋兮若流水」的感覺。而且描寫一處景物，往往是東西南北四方盡情鋪陳，讓人感覺似乎要把所有能用的詞彙都要用上。賦後來隨著詩文的變化，出現了駢律（追求對仗工整）、律賦（除講對仗外，又限定音韻）、文賦（散文化）等形式。要注意的是，賦「體物」只是形式，「寫志」才是目的。如傅咸《叩頭蟲賦》，叩頭蟲是一種昆蟲，指頭一觸到它，它便會點頭，如叩頭狀。作者由此引發，而講了一通柔以自存的人生哲學，頗耐人尋味。

五、詞曲　「詞」和「曲」是從詩的主流中派生出來的兩條影響最大的支流。詞的得名來於歌詞，原被稱為「曲詞」或「曲子詞」，也稱作「歌詞」或「小歌詞」，是隸屬於音樂的。因而詞都有詞牌，像《菩薩蠻》《蝶戀花》《清平樂》之類，即是詞牌的名字。根據樂調來填詞，自然句子就有了長短，故又叫長短句。因為是詩的變體，所以又稱作「詩餘」。因為句子長短錯落，所以利於表達委婉哀傷的感情，因此早期的詞很多都是以傷春惜花或男女相思為主題的。像北宋晏殊、歐陽修這樣的大官，筆下的詞卻纏纏綿綿，充滿感傷，這是由詞這種體裁的性質決定的。經過柳永、蘇軾、辛棄疾等大詞人的努力，詞的境界才大大開拓。宋代是詞的鼎盛時代，詞也最能代表宋代文學的成就。

「曲」即「樂曲」，和詞性質一樣，也是歌唱的曲辭。明王世貞《曲藻序》云：「曲者，詞之變。自金、元入主中國，所用胡樂，嘈雜淒緊，緩急之間，詞不能按，乃更為新聲以媚之。」這是說，曲是詞在音樂的牽動下而變化出的新形態。因為它行於民間，因而適合於表達俚俗的東西。前人用「淺俗」來定位，也有一定道理。

六、銘箴　銘與箴也是詩的流衍。銘刻在金石器物之上，三代時就已出現，多為記功而作，也含自警之意。故劉熙《釋名》云：「銘者，名也，述其功美，使可以稱名也。」關於這種文體的特點，《文心雕龍 · 銘箴》篇云：「銘兼褒贊，故體貴弘潤。其取事也，必核以辨；其摛文也，必簡而深。」所謂「弘潤」，是指寬宏溫和，辭氣從容。所謂「核以辨」，是指實事求是，無半點兒虛誇。所謂「簡而深」，是指言簡意賅。箴與銘是同類東西，所不同的是箴重在規諫。「箴」同「針」，其意是由針石治病引申來的，故《文心雕龍 · 銘箴》篇云：「箴者，所以攻疾防患，喻針石也。」又說：「箴誦於官，銘題於器，名目雖異，而警戒實同。箴全御過，故文資確切。」箴有官箴、私箴之別，臣下對君之勸諫為官箴，自警者為私箴。銘箴之類文體，主要流行於古代上流社會。

七、頌贊　頌和贊也是古詩的流衍。頌重在歌頌功德，贊重在讚美人、事，也用於評述，如《漢書》《文心雕龍》等著作，在每篇之後都有「贊曰」。《文心雕龍・頌贊》篇云：「頌者，容也，所以美盛德而述形容也……贊，明也，助也。」《釋名》云：「贊，纂也，集其美而敘之也。」頌有時與賦很接近，像董仲舒《山川頌》、馬融《廣成頌》，都與賦沒有什麼區別。故《文心雕龍》云：「原夫頌惟典雅，辭必清鑠，敷寫似賦，而不入華侈之區；敬慎如銘，而異乎規戒之域。」贊多書於人物畫像，如夏侯湛有《東方朔畫像贊》，王維有《裴右丞寫真贊》，李白有《宣城吳錄事畫贊》等。贊雖多讚美，但有時有與銘箴相近者，如朱熹的《畫像自贊》。有些畫像自贊，則近於自嘲，如張瑞璣的《小像自贊》。

2 文之體裁

文與詩最大的區別是，文必須依賴於文字才能表現，詩則可以口頭表達。詩是有韻律的，文則不必注意押韻、節奏諸問題，只求達意，因此文比詩有更廣闊的發展空間。《尚書》與周代的銅器銘文，可以說是文的最早形態。從內容上說，有議論有述事；從形式上說，時而隨筆記述，時而用韻，時而散句，時而對偶，特別靈活，沒有任何限制，完全從需要出發。到漢代以後，文體漸漸區分開來，而且形成了各種定規。雖然古人有「文章原出『五經』」的說法，但「原」不等於「形成」，後人是在「原」的基礎上強化了某一種用途的文字特點，然後才成為各種不同的文體的。文體從語言形式上言，主要有兩類，一是散體，一是駢體。散體就是我們所說的「散文」，語言沒有任何限制，以達意為第一要義。駢體即所謂的「駢文」，以追求駢麗之美為第一要義，講究對仗，盛行於南朝。這兩種不同的語言形式，可用於各種不同的體裁。文章的用途不同，體裁、性質也不同。

從內容上講，文章有兩大宗，一是記事體，一是論說體。記事以《左傳》立法，論說以諸子為尚。由此，兩大宗分出了所謂詔、冊、制、誥、策、表、檄、書、記、序、辯、原、解、戒、奏議、露布、題跋等。以下擇其要者歸納介紹之。

一、傳記　「傳記」文章是正統的記事文，分為兩類：一是歷史著作中的人物傳記，一是史書之外的散篇傳記。史書傳記像《史記》中的《項羽本紀》《魏其武安侯列傳》等，雖是對於歷史的記述，但經過作者的剪裁加工，堪稱傳記文學的典範之作。散篇傳記有寫實者，也有虛構者。像柳宗元《種樹郭橐駝傳》《童區寄傳》與韓愈《毛穎傳》等，其中便有實有虛。其實與文學創作沒有什麼兩樣。在傳記文章中有一種叫「行狀」的文體，如韓愈《贈太傅董行狀》、李翺《韓文公行狀》等，「行狀」是指一個人的德行狀貌，因而這類文章是以傳記的形式為人歌功頌德，與其他的傳記文章不同，只褒不貶。

二、論說　「論說文」就是說理的文章，與傳記文章可並稱為古代文章的兩大宗。它的功能主要是辨是非，明得失，窮事理，理原委。世界萬物脫不開一個「理」字，論說道理就涉及方方面面，因而在古代文章中，論說文的名堂最多，有史論、設論、問答、辨、論、說、解、原、駁、考、評、議等不同名目。如韓愈有《進學解》《師說》《原道》，柳宗元有《封建論》《桐葉封弟辨》《駁復仇議》等。「解」以辨釋疑惑、解剝紛難，「說」是解釋義理而以己意述之，「辨」有不得已而辨之意，「原」是推原其本，「論」是議論古今時世人物，「議」是議論事理以陳述己見。名色不同，而其本質沒有大異。

三、雜記　「雜記」指以「記」命名文章。記以記事為主，兼及議論抒情和山川景觀等。因所記事物很廣，不限一隅，所以稱作「雜記」。如范仲淹的《岳陽樓記》，屬於名勝記；歐陽修的《醉翁亭記》，屬於造亭記；柳宗元的《永州八記》，屬於山水遊記；韓愈的《畫記》，屬於書畫記；劉禹錫的《機汲記》，屬於雜物記；曾鞏的《越州趙公救災記》，屬於人物記，等等，似乎無事不可以記，無物不可以記。只要事有感於心，便可記而釋懷。因而雜記一般都帶有較多的主觀情感的色素。

四、贈序　「贈序」是專為送別親友而立的一種文體。姚鼐《古文辭類纂序》云：「贈序類者，老子曰：君子贈人以言。顏淵、子路之相違，則以言相贈處，梁王觴諸侯於范臺，魯君擇言而進，所以致敬愛、陳忠告之誼也。」看來臨別贈言是很古老的一種傳統，但作為一種文體出現，則是在晉代，盛行則在唐代。像韓愈《送董邵南序》《送孟東野序》《李愿歸盤谷序》等，都是贈序中的名篇。這類文章多在敘友情、慰別情、勸德行、詠懷抱，以此而表達送別之意，故感情真摯，最能體現人間溫情。

五、序跋　「序跋」指書的序文和跋文。序，也作「敘」。是言書或詩、文之所以作的緣由的。在先秦與漢，敘多在書之後，是書稿寫完之後，作者對成書過程中一些問題的說明與歸納，如《史記．太史公自序》與《漢書．敘傳》都在最後。後人則一般把序言放在書前，而把題寫於書籍或文章、詩、畫、金石拓片等後面的文字稱作「跋」。序跋一般學術性較強，內容大多屬於評介、鑑定、考釋、記述之類。如自作序，則多述原委，為他人作序、跋，則評價、考釋性文字較多。這類文章一般都很理性，較少感情色彩，文字宜雅，不可隨意為之。

六、書牘　「書牘」指簡牘書信之類，這是人與人之間一種交流的手段。「書」是古代書信的總稱，「牘」是寫字的木板，是書信所用的工具。在姚鼐《古文辭類纂》中，把這類文字分為「章表」（臣向君上書）、「書說」（親友來往信函）、「詔策」（君向臣下書）等，其實都應歸於「書牘」類。這類文字不是期待第三者來看，而像是對親人、對朋友、對君上、對臣下的交談，務在盡言，把自己心中要說的話全說出來。故《文心雕龍·書記》篇云：「詳總書體，本在盡言，言所以散鬱陶，托風采，故宜條暢以任氣，優柔以懌懷；文明從容，亦心聲之獻酬也。」像司馬遷《報任安書》、諸葛亮《出師表》、蘇轍《上樞密院韓太尉書》等，都是這方面的代表。

七、碑誌　「碑誌」是刻在石碑上的文字。如墓碑、墓誌、廟宇以及古建築的碑刻等。碑誌重在記事，以求傳於後世，以垂不朽。文字莊而雅，述事簡而明。有些墓碑實際上與人物傳記相差無幾，它與史傳不同之處，在於作者感情投入，且沒有批評文字，而全在頌功。碑文往往尾碼韻語，即所謂「銘」，故古人往往將其放入「箴銘」一類中。其實碑上的銘文遠遠沒有記述文字重要。像韓愈《平淮西碑》《柳子厚墓誌銘》與歐陽修《石曼卿墓表》等，均為碑誌中的上乘之作。

八、哀祭　「哀祭文」包括哀悼文與祭祀文，古代有祭、哀、弔、誄、挽等不同名稱。誄文、挽文、弔文、哀辭等為傷逝之辭；祭文則有祭天地、山川、社稷、宗廟、死者之別，但以祭祀死者的文章最為可稱，其與現在的悼詞或悼念文章差不多。這類文章一般要敘述死者的生平功德，哀悼其不幸，表達悲痛之情，以文當哭，即摯虞《文章流別論》所云：「哀辭之體，以哀痛為主，緣以歎息之辭。」就體式言，一般前用散文，後用韻文，有些則全用韻文。韓愈《祭十二郎文》、歐陽修《祭石曼卿文》等，即這類文章的代表作品。

每一種文體都有寫作上、風格上的要求。如曹丕《典論·論文》云：「夫文本同而末異，蓋奏議宜雅，書論宜理，銘誄尚實，詩賦欲麗。」陸機《文賦》亦云：「詩緣情而綺靡，賦體物而瀏亮，碑披文以相質，誄纏綿而悽愴，銘博約而溫潤，箴頓挫而清壯，頌優遊以彬蔚，論精微而朗暢，奏平徹以閒雅，說煒曄而譎誑。」由此而形成了詩文風格的豐富性、多樣性。同時通過不同的形式與風格，也展示出作者豐富多彩的心靈世界。

思考題

1. 中國文化在中國文學中的位置如何？
2. 對於文學展示心靈世界這一命題你是如何認識的？
3. 請試以心靈世界的四個層次理論分析兩篇作品。
4. 中國古代主要有哪些詩歌體裁？
5. 中國古代有哪些主要的散文體裁？
6. 請試為身邊過世的有德之人寫一篇碑文。

參考書目

袁行霈：《中國文學史》，北京，高等教育出版社，1999。
褚斌傑：《中國古代文體概論》，北京，北京大學出版社，1990。
周振甫：《文心雕龍注釋》，北京，人民文學出版社，1981。
張少康、劉三富：《中國文學理論批評發展史》，北京，北京大學出版社，1995。

第十章
文學文獻

文學文獻，是指關於文學的文獻，或作品，或評論，或研究，或記述，凡與文學相關者，都應該歸於此。從理論上說，因為文學中存在著人類活動的基本內容，凡與人相關的事物，都會出現於文學之中，因而與文學有關的內容，就要涉及所有的典籍，這也就是「國學」的全部內容。但事有側重，因此我們這裏所講的只是與文學關係密切的文獻。

第一節　總集與別集

傳統四部分類中，「集部」即屬於文學文獻。「集」字古作「雧」，「隹」是鳥，眾鳥集於木，故有聚集的意思。文章匯編於一起，名之曰「集」，正取此義。四庫全書將集分為五類，即：一楚辭，二別集，三總集，四詩文評，五詞曲。《四庫全書總目·集部總敘》云：「集部之目，楚辭最古，別集次之，總集次之，詩文評又晚出，詞曲則其閏餘也。」前三者是楚漢以來傳統文學的主流內容，「詩文評」則是對傳統詩文的評論性文字，「詞曲」則屬於俗文學，為正統文人所不屑為，如四庫館臣云：「詞曲二體，在文章技藝之間，厥品頗卑，作者弗貴。特才華之士，以綺語相高耳。」故附詞曲於集部之末。其實詩文評及詞曲，都可歸於總集或別集中。如歐陽修的《六一詩話》及其詞作，就皆收入《歐陽修全集》中。只是個別專著除外，如《文心雕龍》《詩品》之類。

所謂「別集」，是指收錄個人詩文的集子。漢代以前，文人的作品，除思想性、理論性的著述外，像辭賦箴銘之類，都是散篇流傳。因此《後漢書・文苑傳》述文士作品，多提其篇數，而不言其有集。如言杜篤「所著賦、誄、弔、書、贊、七言、女誡及雜文，凡十八篇。又著《明世論》十五篇」；王隆「能文章，所著詩、賦、銘、書，凡二十六篇」；夏恭「著賦、頌、贊、誄，凡四十篇」；傅毅「著賦、誄、頌、祝文、七激、連珠，凡二十八篇」等，顯然還沒有結集的習慣。後漢以降，文人創作日多，文體漸繁，於是出現了集子。如曹丕《典論・論文》就曾提到將徐幹、陳琳、應瑒、劉楨等人的文章，「都為一集」的情況。《四庫全書總目・集部總敘》曾述「集之小史」云：

> 古人不以文章名，故秦以前書無稱屈原、宋玉工賦者。洎乎漢代，始有詞人，跡其著作，率由追錄。故武帝命所忠求相如遺書，魏文帝亦詔天下上孔融文章。至於六朝，始自編次，唐末又刊板印行。夫自編則多所愛惜，刊板則易於流傳。四部之書，別集最雜，茲其故歟！

又於《別集類敘》云：

> 集始於東漢。荀況諸集，後人追題也。其自制名者，則始張融《玉海集》。其區分部帙，則江淹有《前集》，有《後集》；梁武帝有《詩賦集》，有《文集》，有《別集》；梁元帝有《集》，有《小集》；謝朓有《集》，有《逸集》；與王筠之一官一集，沈約之《正集》百卷，又別選《集略》三十卷者，其體例均始於齊梁。蓋集之盛，自是始也。

《隋書・經籍志》著錄楚蘭陵令《荀況集》一卷、楚大夫《宋玉集》三卷、《漢武帝集》一卷、漢《淮南王集》一卷、漢中書令《司馬遷集》一卷等，顯然都是後人追錄的。在古代文獻中，別集是最雜的一部分。其一是數量太多，特別是明清以來，隨著印刷業的發展，版刊書籍相對方便，不僅文人有結集的習慣，就是一些能夠識文斷句的商人，也喜歡附庸風雅，出詩集、文集，贈送親友。至於從政的官員，就更是如此。此風南方尤甚。翻開正史的《經籍志》或《藝文志》就可看到，文人別集往往在四部中可以占到三分之一，甚至更多。其二是內容非常龐雜，往往是把一個作者除專著之外的一切文字，都要收羅在內（當然也有單純的詩集、詞集或文集）。因此文集中，除詩賦文章之外，往往還有奏表、策問、墓誌、行狀、祭弔等之類的文字。越是名頭大的人，應酬性的文字就越多。古代有身份地位的人都有生前著書、死後樹碑的習慣，出書要請名人寫序，樹碑要請名人撰文，這些序文、碑文大多是為諛人而作的，但這些都會收入作者的文集中。有的文集可以說包括了經、史、子、集四個方面的內容。如傅山的《霜紅龕集》，除賦、樂府及各種詩體之外，還有傳、敘、書後、題跋、壽敘、墓銘、哀辭、記、碑碣、疏引、書札、家訓、雜文、雜著、讀經史、讀子、雜記等目，這甚至有點像叢書的性質了。

別集的編排，一般有兩種形式，一是以時間為序，一是分類。如方世舉《韓昌黎詩集編年箋注》、鄧廣銘《稼軒詞編年箋注》等，即以時間為序編輯。但大部分集子是分類的。分類中又一般以賦為首，其次是詩、文。若有詞曲，則多以殿後。這可能是魏晉以來的一種傳統。之所以以賦為首，當與賦作為最早脫離音樂、歷史、哲學而獨立的文學體裁有關。而詞曲則是產生較晚的文體，故放在後面。但也有以古詩或章表為首者，這可能與編者的思想認識有關。

別集除作為文學作品為直接的文學文獻外，其對於研究文學也很重要。這主要有幾點值得注意。

第一，在相當多的序跋書札中，保存了作者的文學評論及文藝思想。像郭紹虞先生主編的《中國歷代文論》，以及今所著的各種「文學批評史」、「文學思想史」，其取材或依據都主要是別集。

第二，別集中保存了文人交遊活動的大量資料。正史中對於文人活動的記載非常有限，一般只是在《文苑傳》中有簡略記述；總集中多是精選出的文學作品，也很少涉及文人的活動。而文人間的交遊，如詩文酬唱、書札往來，以及集會結社情況，則在文人集子中多有記述或反映，而這是研究一個時代文學不可忽略的背景資料。

第三，別集中保存了作者方方面面的信息。因為一般別集內容都很龐雜，往往包括了政治、經濟、社交、文化等方面活動留下的文字。如在其奏議表章中，可以看到他對時事的認識和看法；在其策問之類文章中，可以看到他的政治思想與主張；在史論之類文章中，可以看到他的歷史觀；在行狀之類文章中，可以看到他對時人的評論；在書札及贈答之作中，可以看到他的親友關係等。因此要研究某一個作家，絕不可不讀他的全集，如此才可能「知人論世」。

第四，相當多的別集，還保存了其同時代人的種種信息。比如，我們要研究某一個作家，不但要讀他的集子，還應該讀他同時代與他有過關係的人的集子。因為在書札或傳記、碑誌類文章中，作者往往會把自己同時代有過交往的人的信息留存下來。如在韓愈的集子中就保存了《柳子厚墓誌銘》，對研究柳宗元的家世、生平，提供了重要的依據。

所謂「總集」，是指眾多人的文章彙編而成的集子。關於總集的源起，《隋書．經籍志四》有如下一段說明：「總集者，以建安之後，辭賦轉繁，眾家之集，日以滋廣。晉代摯虞，苦覽者之勞倦，於是採摘孔翠，芟剪繁蕪，自詩賦下，各為條貫，合而編之，謂為《流別》。是後文集總鈔，作者繼軌。屬辭之士，以為覃奧，而取則焉。」四庫館臣也以為始於摯虞《文章流別集》。其實總集之名雖始於晉，總集之實則遠在先秦。馬其昶《桐城古文集略序》即以為「總集蓋源於《尚書》、《詩》三百篇，洎王逸《楚辭》、摯虞《流別》後，日興紛出，其義例可得而言」。胡玉縉《四庫全書總目提要補正》以為「薈萃文章自預（杜預《善文》）始，非虞始也」。《四庫全書總目・總集類敘》云：

> 文籍日興，散無統紀，於是總集作焉。一則網羅放佚，使零章殘什，並有所歸；一則刪汰繁蕪，使莠稗咸除，菁華畢出。是固文章之衡鑑，著作之淵藪矣。《三百篇》既列為經，王逸所裒，又僅《楚辭》一家，故體例所成，以摯虞《流別》為始。其書雖佚，其論尚散見《藝文類聚》中，蓋分體編錄者也。《文選》而下互有得失。至宋真德秀《文章正宗》，始別出談理一派，而總集遂判兩途。然文質相扶，理無偏廢，各明一義，未害同歸。惟末學循聲，主持過當，使方言俚語，俱入詞章；麗制鴻篇，横遭嗤點。是則並德秀本旨失之耳。今一一別裁，務歸中道。至明萬曆以後，儈魁漁利，坊刻彌增，剽竊陳因，動成巨帙，並無門徑之可言，姑存其目，為冗濫之戒而已。

這可以說是一篇「總集小史」。這裏特別強調了總集「網羅放佚」、「刪汰繁蕪」的兩大功績，很值得注意。許多總集帶有輯佚的性質，歷史上的大量散篇殘什，賴此得存，故四庫館臣稱其「網羅放佚，使零章殘什，並有所歸」。比如南朝陳徐陵所編的詩歌總集《玉臺新詠》，收錄自漢至梁作家共130餘人，作品凡870篇。其中有一部分詩作，像《古詩為焦仲卿作》《上山採蘼蕪》《羽林郎》《怨歌行》《董嬌嬈》等，都是賴此書得以保存並流傳的。《四庫全書總目・玉臺新詠》云：「其中如曹植《棄婦篇》、庾信《七夕詩》，今本集皆失載，據此可補闕佚。又如馮惟訥《詩紀》載蘇伯玉妻《盤中詩》作漢人，據此知為晉代；梅鼎祚《詩乘》載蘇武妻《答外詩》，據此知為魏文帝作；古詩《西北有高樓》等九首，《文選》無名氏，據此知為枚乘作；《飲馬長城窟行》，《文選》亦無名氏，據此知為蔡邕作。其有資考證者，亦不一。」像這種情況，總集中非常普遍。其次是「刪汰繁蕪」之功。像《唐詩三百首》《古文辭類纂》《古文觀止》之類，皆從大量詩文中精選而出，故而作為詩文精品流傳甚廣，致有「熟讀《唐詩三百首》，不會作詩也會吟」之諺。總集選錄詩文，往往有一定原則，最能體現編輯者的思想與見識，因此有理論意義。文學作品的經典化，往往是由不同的總集一次次地重複完成的。此外還有一點需要指出，總集因為有「刪汰繁蕪」的性質，便於流傳，故而許多失傳的作家文集的部分詩文篇賴此得以保存。如《文苑英華》，是宋朝人從南朝及唐代各家文集中選出的，李燾《續通鑑長編》云：「太宗以諸家文集，其數實繁，雖各擅所長，亦榛蕪相間。乃命翰林學士宋白等，精加銓擇，以類編次為《文苑英華》一千卷。」但現在許多文集已經失傳了。故四庫館臣云：「迄今四五百年（《文苑英華》編撰到清修《四庫全書》時），唐代詩集已漸減，於舊文集則《宋志》所著錄者，殆十不存一，即如李商隱《樊南甲乙集》久已散佚，今所存本，乃全自是書錄出。又如張說集，雖有傳本，而以此書所載互校，尚遺漏雜文六十一篇。則考唐文者，惟賴此書之存實，為著作之淵海。」

總集約可分為六類：一是以朝代為限，如《唐文粹》《宋文鑑》

《明詩綜》之類；二是以地域為限，如《吳都文粹》《河汾諸老詩集》《粵西詩載》之類；三是以人為限，如《唐宋八大家文鈔》《蘇門六君子文粹》之類；四是以文體為限，如《樂府詩集》《詞綜》之類；五是總選各體但有入選原則，如《文選》《文苑英華》之類；六是總匯一朝之作，如《全唐詩》《全宋詞》之類。其中有四部總集不可不提，這就是《楚辭》《文選》《樂府詩集》《文苑英華》，它們對研究中國文學意義重大。

《楚辭》最早的撰編者是劉向，內容是屈原、宋玉的作品及漢代部分騷體作品。後漢王逸撰《楚辭章句》，補入了自己的作品，並對全書作了注釋。王逸字叔師，南郡宜城（今湖北宜城市）人，漢安帝元初中（117年左右），為上計吏進京奏事，留拜校書郎，入東觀校書。曾參與修撰《東觀漢記》。《四庫全書總目》云：「初劉向裒集屈原《離騷》《九歌》《天問》《九章》《遠遊》《卜居》《漁父》，宋玉《九辨》《招魂》，景差《大招》，而以賈誼《惜誓》、淮南小山《招隱士》、東方朔《七諫》、莊忌《哀時命》、王褒《九懷》及向所作《九歎》，共為《楚辭》十六篇，是為總集之祖。逸又益以己作《九思》與班固二敘為十七卷，而各為之注。」在中國文學史上，影響最大的兩部總集，就是《詩經》與《楚辭》。而《楚辭》對於文人創作的影響，包括情感、思想、風格的影響，又在《詩經》之上，以致形成了一種特殊的文學體裁——楚辭體。而《楚辭》之流

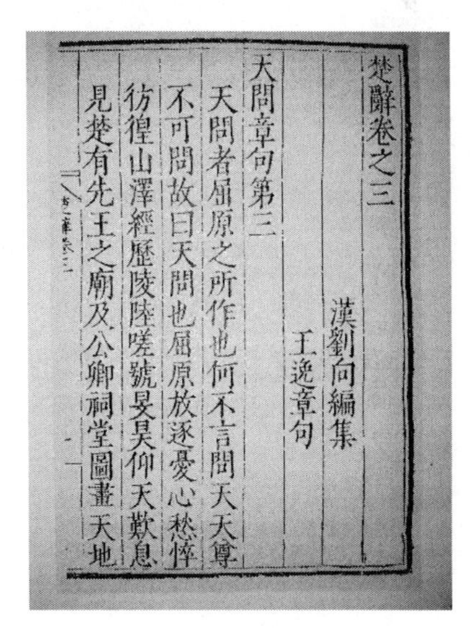
楚辭卷之三
漢劉向編集
王逸章句
天問章句第三
天問者屈原之所作也何不言問天天尊
不可問故曰天問也屈原放逐憂心愁悴
彷徨山澤經歷陵陸嗟號旻昊仰天歎息
見楚有先王之廟及公卿祠堂圖畫天地

《楚辭》書影

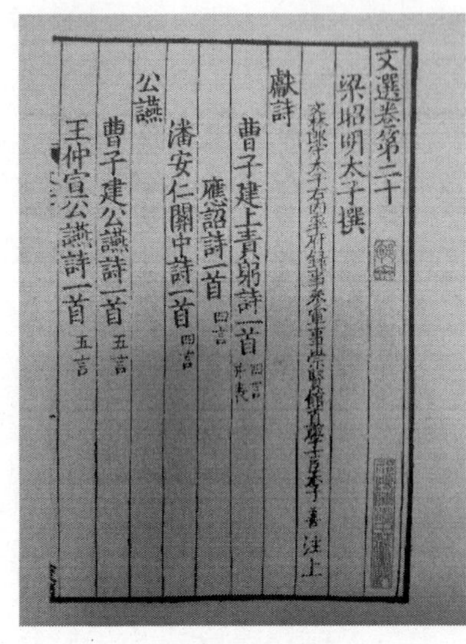
文選卷第二十
梁昭明太子撰
文林郎守太子右內率府錄事參軍事崇賢館直學士臣李善注上
獻詩
曹子建上責躬詩一首 四言 并表
應詔詩一首 四言
潘安仁關中詩一首 四言
公讌
曹子建公讌詩一首 五言
王仲宣公讌詩一首 五言

《昭明文選》書影

傳，賴王逸章句之功實多。屈原、宋玉等為楚人，每用楚語。王逸因是楚地人，能解其語，其訓釋或本於經書故訓，或本於方言楚語，頗能得其正解，故影響甚大。王逸之後，注釋《楚辭》者不下數百，影響大的是宋代洪興祖的《楚辭補注》和朱熹的《楚辭集注》。20世紀出版了不少《楚辭》的注本，但大多只注屈原的作品，實際上成了「別集」。

《文選》共30卷，梁昭明太子蕭統撰，共收錄先秦至梁作家130人，收錄作品514篇。選文的標準是「以能文為本」，因而對於諸子百家及經史諸書，皆不錄取。其所錄是「事出於沉思，義歸乎翰藻」、獨立成篇的文章，即如「贊論之綜緝辭采，序述之錯比文華」。全書將文章劃分38類。在賦、詩等大類中，又按內容劃分為若干門。如賦則分為京都、郊祀、耕籍、畋獵、紀行、遊覽等15門；詩則分為補亡、述德、勸勵等23門。可以說，《文選》是今所見到的中國文學史上第一部有意識地從文學角度選編的總集，因而它對於中國文學的影響非常之大。唐代以詩賦取士，而士子們學習的最佳的詩賦範本就是《文選》。像大詩人杜甫，在他的詩篇中就曾反覆提到《文選》，如云：「呼婢取酒壺，續兒誦《文選》」、「詩是吾家事，人傳世上情。熟精文選理，休覓彩衣輕」等。唐人詩賦中的許多典故取自《文選》，因此研究唐代文學，從《文選》入手，是一條很好的途徑。在宋初，《文選》仍然是士子的必讀書，故有「《文選》爛，秀才半」之諺。《文選》作為一門學問，從隋、唐就開始了。據不完全統計，今天還可以見到的《文選》專著約90種。現存最早、影響最大的《文選》注本是唐高宗時李善的《文選注》。李善注《文選》引書多達近1700種，其重點在考索語源和典故。這為唐人作詩用典提供了很大方便。另外的一種是唐玄宗時的《五臣注文選》。「五臣」指呂延濟、劉良、張銑、呂向、李周翰五人。五臣注是針對李善之不足而發，李善偏重於典故語源，五臣則偏重於探求旨趣，疏通文義，但因學問不及李善，故疏誤較多。宋人將五臣注與李善注合編，稱《六臣注文選》。清於光華《文選集評》凡15卷，從文學角度研究《文選》，集前人評語，頗可參考。高步瀛《文選李注義疏》，用功甚勤，是今不可多得的佳著。

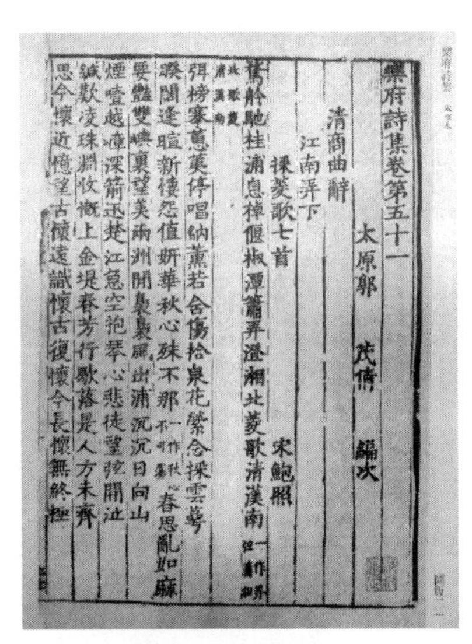
樂府詩集卷第五十一　太原郭　茂倩　編次

清商曲辭

江南弄下

採菱歌七首　宋鮑照

鶩舲馳桂浦息棹偃椒潭簫弄澄湘北菱歌清漢南

弭榜搴蕙荑停唱納薰若含傷拾泉花縈念採雲萼

睽闊逢暄新悽怨值妍華秋心殊不那春思亂如麻

要艷雙嶼裏望美兩洲間裊裊風出浦沉沉日向山

煙曀越嶂深箭迅楚江急空抱琴心悲徒望弦開泣

緘歎凌珠淵收慨上金堤春芳行歇落是人方未齊

思今懷近憶望古懷遠識懷古復懷今長懷無終極

《樂府詩集》書影

《樂府詩集》是宋代郭茂倩編撰的一部輯錄漢魏至唐、五代的樂府歌辭總集，並及先秦及唐末的歌謠。全書100卷，共錄樂府歌謠5000多篇，分為郊廟歌辭、燕射歌辭、鼓吹曲辭、橫吹曲辭、相和歌辭、清商曲辭、舞曲歌辭、琴曲歌辭、雜曲歌辭、近代曲辭、雜歌謠辭和新樂府辭十二大類；每大類中又分若干小類，如相和歌辭又分為相和六引、相和曲、吟歎曲、平調曲、清調曲、瑟調曲、楚調曲和大曲等類，每曲有解題。這是目前收集歷代各種樂府詩最為完備的一部重要總籍，為樂府詩歌的整理和研究提供了很大方便。《四庫全書總目》云：

> 其解題徵引浩博，援據精審，宋以來考樂府者，無能出其範圍。每題以古詞居前，擬作居後，使同一曲調而諸格畢備，不

相沿襲，可以藥剽竊形似之失。其古詞多前列本詞，後列入樂所改，得以考知孰為側，孰為趨，孰為豔，孰為增字減字。其聲詞合寫，不可訓詁者，亦皆題下注明，尤可以藥摹擬聱牙之弊。誠樂府中第一善本。

《四庫全書簡明目錄》又稱此書「言樂府者，以是集為祖本，猶漁獵之資山海也」。

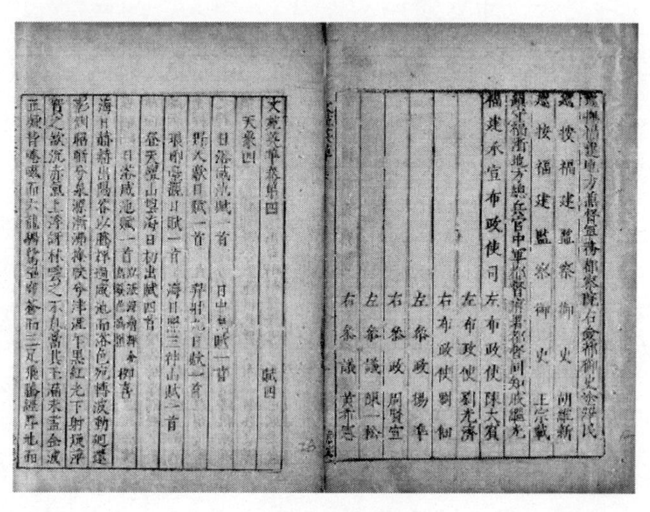
文苑英華卷第四
天象四
賦四
福建承宣布政使司

《文苑英華》書影

《文苑英華》是宋太宗命李昉、徐鉉、宋白等人編纂的一部大型文學總集。太平興國七年（982年）開始，雍熙三年（986年）完成。其後幾次修訂、校勘，到南宋嘉泰元年（1201年）始得刻版，四年完工。全書1000卷，上繼《文選》，下訖晚唐五代，選錄作家2000餘人，作品近2萬篇。按文體分為賦、詩、歌行、雜文、中書制誥、翰林制誥等39類。每類之中又按題材分若干子目，如賦類下分天象、歲時、地、水、帝德、京都等42小類。小類之中又有小類，如賦類「天象」類下，又分天、日、月、星、星斗、天河、雲、風、雨、露等若干目。書中十分之九是唐人作品，保存了不少有價值的文獻資料，是研究唐代文學必讀之書。《四庫全書簡明目錄》云：「唐人諸集，傳世日稀，所藉以考見者，賴此編之存而已。」其地位之高、價值之大，可想而知。中華書局1966年有影印本，並附錄彭叔夏《文苑英華辯證》及勞格《文苑英華辯證拾遺》，皆有重要參考價值。

越是早的總集，其在文獻上存佚之功就越大，影響也就越大。以上所舉幾部，最具代表性。宋以後總集日多，各代之作皆有總集，如《唐文粹》《宋文鑑》《明文海》《宋詩鈔》《中州集》《金文最》《元文類》《元詩選》《元曲選》《詞綜》《晚晴簃詩匯》《國朝文匯》等。特別是清代考據學興起以後，總集「網羅放佚」的性質更為明顯。如陳元龍等編《歷代賦匯》184卷，收入先秦至明代的賦作3834篇；嚴可均編《全上古三代兩漢三國六朝文》740卷，搜輯上古迄隋的文章，收錄作者多達3495家；曹寅等編《全唐詩》900卷，共收詩48900餘首，作者2200餘人；董浩等編《全唐文》1000卷，輯唐五代文章18488篇，作者3000多人。民國以來則如丁福保《全漢三國晉南北朝詩》、逯欽立《先秦漢魏晉南北朝詩》以及《全宋詞》《全宋詩》《全宋文》《全遼文》《全遼金詩》《全遼金文》《全元散曲》《全元戲曲》《全元文》《全明散曲》《全清散曲》等。這些總集的編撰，大多是總括現存別集，廣泛搜輯佚文，力求竭澤而漁，為研究者帶來了極大的便利。

此外關於「詩文評」，《四庫全書總目・詩文評敘》有如下概括：

> 文章莫盛於兩漢，渾渾灝灝，文成法立，無格律之可拘。建安黃初，體裁漸備，故論文之說出焉，《典論》其首也。其勒為一書傳於今者，則斷自劉勰、鍾嶸。勰究文體之源流，而評其

> 工拙；嵥第作者之甲乙，而溯厥師承，為例各殊。至皎然《詩式》，備陳法律；孟棨《本事詩》，旁採故實；劉攽《中山詩話》、歐陽修《六一詩話》，又體兼說部。後所論著，不出此五例中矣。宋明兩代，均好為議論，所撰尤繁。雖宋人務求深解，多穿鑿之詞；明人喜作高談，多虛憍之論。然汰除糟粕，採擷菁英，每足以考證舊聞，觸發新意。

此說頗精。此類著作，一般部頭較小，大多被收入《歷代詩話》《清詩話》之類叢書中。

第二節 類書與叢書

在總集、別集之外，有一種書與文學關係極為密切，這就是「類書」。類書是將古今資料分門別類匯於一編的書。它的分類方法約有兩種，一種是以內容分，將資料根據內容分隸於天、地、歲時等若干個門類下，像《藝文類聚》《初學記》等即屬此；一種是以字分，或以尾字之韻，或以首字，像《佩文韻府》《駢字類編》等，即屬此。在四庫全書中，類書因為內容龐雜，不好歸類，故放到了子部。《四庫全書總目 · 類書類敘》云：

> 類事之書，兼收四部，而非經非史，非子非集。四部之內，乃無類可歸。《皇覽》始於魏文，晉荀勖中經部分隸何門，今無所考。《隋志》載入《子部》，當有所受之。歷代相承，莫之或易。明胡應麟作《筆叢》，始議改入集部，然無所取義，徒事紛更，則不如仍舊貫矣。此體一興，而操觚者易於檢尋，注書者利於剽竊。轉輾稗販，實學頗荒。然古籍散亡，十不存一，

> 遺文舊事，往往托以得存。《藝文類聚》《初學記》《太平御覽》諸編，殘璣斷璧，至捃拾不窮，要不可謂之無補也。

以上對類書的概括是比較精闢的。類書之起，當與文人的文學活動有關。從東漢開始，辭賦文章用典漸多。魏文帝曹丕是一位文士氣十足的君主，同時又是一位文壇領袖，他主編第一部《皇覽》的目的雖諸書不言，具體內容今亦不可知，但十之八九是為了作文章取資的。由此入手，我們來認識類書對於文學的意義。

第一，類書可直接服務於文學創作。文章之學的興起，促進了類書發展。同樣，類書的興起，也會極大地促進文學創作，特別是詩賦創作。作者在創作時，往往會出現力不從心之感，這就需要尋找詞彙，尋找利於表達自己心聲的典故。比如寫月亮，如何描寫會更具神采，就需要找與月亮相關的詩賦文和相關的典故作參考。但是直接去翻檢別集或總集，或其他著作，那自然如同大海撈針，而類書則為此提供了極大的方便。如果我們翻開《藝文類聚》《淵鑑類函》之類類書，找到「月」類，便會知曉。

第二，類書可直接服務於文學閱讀。四庫館臣所謂「操觚者易於檢尋，注書者利於剽竊」，實際上就是從類書服務於文學創作與閱讀兩個方面而言的。因為類書中彙集了大量詩賦典故，而創作者又多取自於類書，因而詩文中的許多典故都可以從類書中找到答案。如李賀《浩歌》:「南風吹山作平地，帝遣天吳移海水。王母桃花千遍紅，彭祖巫咸幾回死。」為什麼說天吳移海水？這就可以查類書，因為這裏是描寫水的，所以可以從類書關於水的資料中查找。《初學記・地部中・總載水》云:「水神曰天吳。《山海經》云：天吳八首十八尾，亦曰水伯。」「王母桃花」則是與桃相關的。《初學記・果木部・桃》在「已三偷」典下注說:「《漢武故事》曰：東郡獻短人，帝呼東方朔。

朔至，短人指朔謂上曰：王母種桃，三千歲一子。此子不良，已三過偷之矣。後西王母下，出桃七枚，母自啖二，以五枚與帝。帝留核著前，母曰：用此何？上曰：欲種之。母笑曰：此桃三千年一著子，非下土所宜植。」「彭祖巫咸幾回死」顯然是說長生，這與神仙方術有關，因此可以到類書有關「仙」、「道」、「方術」的部分中去找。

第三，類書多有保存文學文獻之功。類書因屬於工具書性質，所收錄甚廣，故許多文獻賴此得存。像清代學者的輯佚工作，相當多的古籍都是從類書中輯出的。如馬國翰的《玉函山房輯佚書》、黃奭的《漢學堂經解》等，離開類書，我們很難想像他們的工作能夠有多大成就。像《四庫全書》中所收的司馬光《溫公易說》、邵伯溫《易學辨惑》、李光《讀易詳說》、胡瑗《洪範口義》等，都是從大型類書《永樂大典》中輯出的，約計不下數百種，其意義之大可想而知。四庫館臣所謂「古籍散亡，十不存一，遺文舊事，往往托以得存」，實非虛言。

類書的種類、類別很多，相互之間差別很大。明胡應麟《少室山房筆叢》卷二十二《華陽博議上》云：

> 集之靡冗而難周者，莫大於類書。類書之中，又有博於名物者、典故者、經史者、詞章者。劉峻之《類苑》、徐勉之《華林》，博於名物；楊億之《元龜》、李昉之《御覽》，博於典故；樂天之《六帖》、景盧之《法語》，博於經史；敬宗之《玉彩》、李嶠之《珠英》，博於詞章。總之，則《玉彩》《珠英》《六帖》《法語》之屬，博於文；《御覽》《元龜》《類苑》《華林》之屬，博於事；歐、虞、祝、謝，兼載事文；杜、鄭、馬、王，獨詳經制。大抵書以類稱，體多沿襲。創造之力，劉、徐實難；考究之功，馬、鄭為大。至纖微曲盡，毫末咸

該，即陸澄、王摛，並操觚翰，未必亡慽也。

從胡氏的論述可以看出，古代的類書是極豐富的。胡氏提到的有些書，我們今天已難以見到。這裏我們把在中國文化史上影響較大和今天比較容易見到的幾種類書，推薦給大家。

1 《藝文類聚》

《藝文類聚》100卷，是歐陽詢、令狐德棻等奉詔編撰的類書。全書約百萬字，按內容類別別如天、歲時、地、山、水等，共分為46部，有子目727個，引用古籍達1400餘種。經、史、子、集，皆括其中。六朝以降，特別是唐代，詩壇創作特別活躍，但為創作所用的工具書，卻不十分令人滿意。即歐陽詢《藝文類聚序》所云：「前輩綴集，各抒其意。《流別》（晉摯虞《文章流別集》）、《文選》，專取其文；《皇覽》《遍略》，直書其事。文義既殊，尋檢難一。」像《文選》之類的文章總集，只能找到些妙詞佳句，找不到適用的典故；《皇覽》之類的類事之作，則只能找到事物典故，但沒有詩文參考。而《藝文類聚》則既有事，也有文，「使覽者易為功，作者資其用」。如《地部・石》一類中，先羅列群書關於石的解釋或涉及石的文字以及有關石的故事，如云：「《物理論》曰：土精為石。《尚書》曰：青州，厥貢鉛松怪石。」「《毛詩》曰：漸漸之石，維其高矣。」「《列子》曰：天亦物也，物

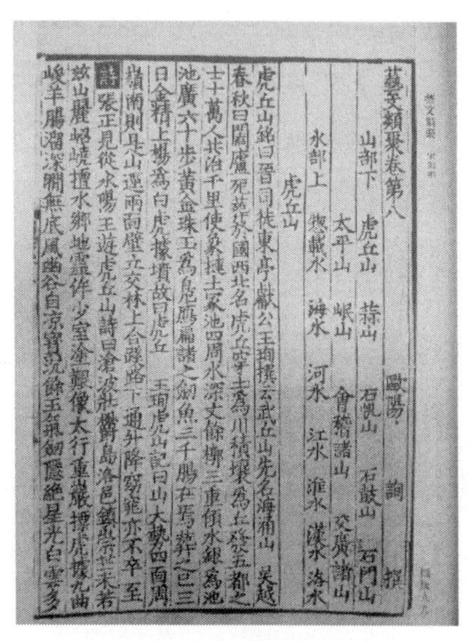
藝文類聚卷第八　歐陽　詢　撰
山部下　虎丘山　蒜山　石帆山　石鼓山　石門山
太平山　岷山　會稽諸山　交廣諸山
水部上　總載水　海水　河水　江水　淮水　漢水　洛水
虎丘山
虎丘山銘曰晉司徒東亭獻公王珣撰云武丘山先名海涌山　吳越
春秋曰闔廬死葬於國西北名虎丘穿土為川積壤為丘發五都之
士十萬人共治千里使象運土鑿池四周水深丈餘槨三重傾水銀為
池廣六十步黃金珠玉為鳧鴈扁諸之劍魚腸三千在焉葬之已三
日金精上揚為白虎據墳故曰虎丘　王珣虎丘山記曰山大勢四面周
嶺南則是山逕兩面壁立交林上合蹊路下通升降窈窕亦不卒至
詩　張正見從永陽王遊虎丘山詩曰滄波壯郁島洛邑鎮崇芒未若
茲山麗峻嶢擅水鄉地靈侔少室塗觀像太行重巖標虎踞九曲
峻羊腸溜深斷無底風幽谷自涼寶沉餘玉氣劍隱絕星光白雲多

《藝文類聚》書影

有不足。故昔者，女媧氏煉五色之石，以補其闕。」等。再羅列關於石的詩、賦，如云：「陳陰鏗《詠石詩》曰」、「陳周弘正《詠石鯨應詔詩》曰」、「陳張正見《石賦》曰」、「晉郭璞《磁石贊》曰」等。引書多達27種，每一類中都是如此。這種體例為後世類書所效法。《藝文類聚》中所引詩文，多為佚篇。陳振孫《直齋書錄解題》謂《藝文類聚》「所載詩、文、賦、頌之屬，多今世所無之文集」，有學者統計，《藝文類聚》所收詩文，百分之九十以上今已失傳，其文獻價值可想而知。

2 《初學記》

《初學記》是唐代皇家敕令編撰的又一部類書，主編是唐玄宗時的集賢院學士徐堅，全書共30卷。劉肅《大唐新語》卷九云：「玄宗謂張說（當時宰相）曰：『兒子等欲學綴文，須檢事及看文體。《御覽》（《修文殿御覽》）之輩，部帙既大，尋討稍難。卿與諸學士撰集要事並要文，以類相從。務取省便，令兒子等易見成就也。』說與徐堅、韋述等編此進上，以《初學記》為名。」所謂「欲學綴文」就是指學習作詩賦文章。因此這部書的針對性、目的性都很強。它的體例與《藝文類聚》略有不同。雖然也是分部編排，甚至順序也有些相近，但內容卻有變化。《四庫全書總目・初學記》云：「其書分二十三部，三百一十三子目。大致與諸類書相同，惟《地部》五嶽之外，載終南山；四瀆之外，載

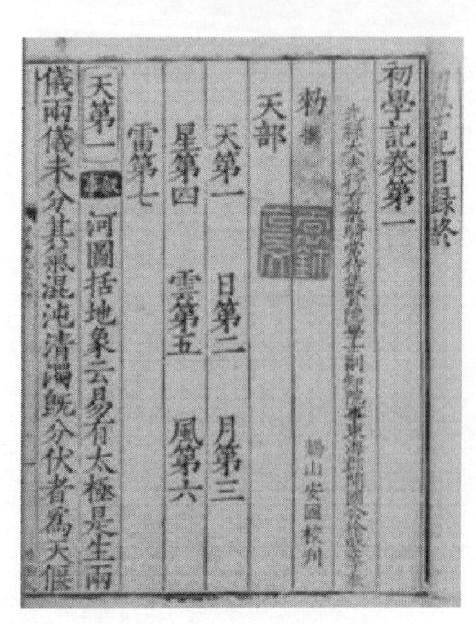
初學記目錄終
初學記卷第一
敕撰
錫山安國校刊
天部
天第一　日第二　月第三
星第四　雲第五　風第六
雷第七
天第一　河圖括地象云易有太極是生兩
儀兩儀未分其氣混沌清濁既分伏者為天偃

《初學記》書影

洛水、渭水、涇水。又驪山湯泉、昆明池別出兩條。則唐代兩都之故也。其例前為敘事，次為事對，末為詩文。」最值得注意的是在「敘事」和詩文錄之外，增多了「事對」一項。這顯然是專為學習詩賦對偶而設的。如在《天部》的「月」類中，先是「敘事」，雜引《淮南子》《釋名》《漢書》等。其次「事對」，以「金精」對「水氣」，「破環」對「合璧」，以「瑤蟾」對「金兔」，「破鏡」對「圓璧」等，這些都是與月有關的，而且於每對之下，都有出處說明，確實非常便於學習。故司馬光《續詩話》云：「唐明皇以諸王從學，命集賢院學士徐堅等討集故事，兼前世文辭，撰《初學記》。劉中山子儀愛其書，曰：『非止初學，可為終身記。』」四庫館臣稱此書「在唐人類書中，博不及《藝文類聚》，而精則勝之」。這兩部書在唐代影響都很大，唐代人的詩賦文章用典，好多都是從這裏學來的。因此研究唐代文學者，不可不讀此二書。同時這兩部書因為所引或為今所佚的詩文，或為古本，因此對於今天輯佚或校勘古籍，都有重大的意義。

3 《太平御覽》

《太平御覽》共1000卷，是宋太宗命李昉任主編而編撰的一部大型類書。以太平興國二年受詔，至八年書成，故初名《太平總類》。據宋敏求《春明退朝錄》載，書成之後，宋太宗日覽三卷，用了一年的時間才讀完，故賜名《太平御覽》。全書分55部，比《藝文類聚》多九部，分類更為細密，故檢索更為方便。每部之下又分若干子目，共4558類。天地萬物，無不備於其中，故慶元五年蒲叔獻序云：「《太平御覽》備天地萬物之理，政教法度之原，理亂廢興之由，道德性命之奧。」《太平御覽》引書多達1690種，連同雜書、詩、賦、銘、箴等，則超過2500種。經史百家，皆在採輯之列。所引古書，十之七八已經失傳，是保存古佚書最多的類書。五四時期，北京大學校長蔡元

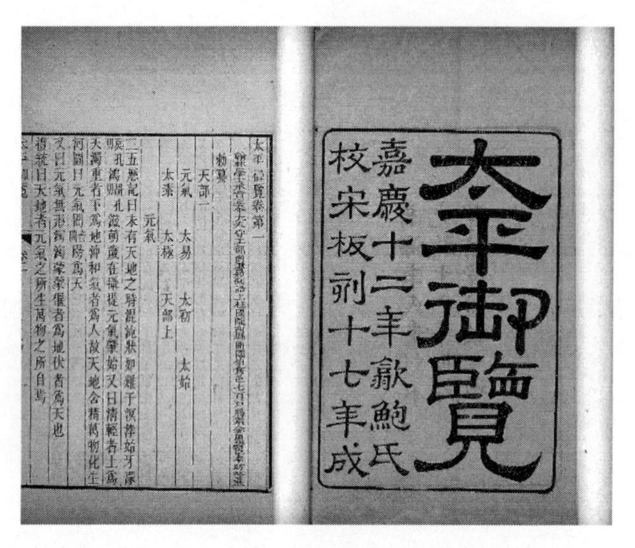

《太平御覽》書影

培突然辭職，留下一則啟事：「我倦矣！殺君馬者道旁兒。」當時人不知什麼意思，據說是劉葉秋先生在《太平御覽》的《獸部 · 馬》類中找到了答案。《太平御覽》引《風俗通》云：「殺君馬者路旁兒也。言長吏養肥馬而希出，路旁小兒觀之，卻驚致死。按：長吏馬肥，觀者快之，乘者喜其言，驅馳不已，至於死。」

4 《太平廣記》

《太平廣記》共500卷，是宋代太平興國年間李昉等奉敕編撰的又一部類書。不過與《太平御覽》相比，它實際上是古代的一部短篇小說的類纂，多取材於漢代至宋初的野史小說和道釋的雜著。全書按題材分為92類，如神仙、女仙、方士、道術以及神、鬼、草木、龍、虎、狐、蛇之類。每大類下又分小類，共150多小類。如「報應」類下，又分婢妾、殺生、宿業畜生等。「婦人」類下又分賢婦、才婦、美婦人、妬婦、妓女等。《四庫全書總目 · 太平廣記》稱：「其書雖多談神怪，而採摭繁富，名物典故，錯出其間。詞章家恒所採用，考證家亦多所取資。又唐以前書，世所不傳者，斷簡殘編，尚問存其什一，尤足貴也。」據今人統計，《太平廣記》引書多達四百種。許多六朝志怪、唐代傳奇，賴此得傳。如著名的《李娃傳》《柳毅傳》《霍小玉傳》《鶯鶯傳》《古鏡記》《南柯太守傳》等，皆保存其中。此書對中國小說影響甚大，宋以後的話本小說、雜劇等，每從中取材演義。像《古今說海》《五朝小說》《唐人說薈》之類書，往往取《太平廣記》而改題篇目，說它是小說之淵藪實不為過。

太平廣記卷一　天都黃　晟曉峰氏校刊
老子　木公　廣成子
黃安　孟岐
老子
老子者名重耳字伯陽楚國苦縣曲仁里人也其母感大
流星而有娠雖受氣天然見於李家猶以李爲姓或云老
子先天地生或云天之精魄蓋神靈之屬或云母懷之七
十二年乃生生時剖母左腋而出生而白首故謂之老子
或云其母無夫老子是母家之姓或云老子之母適至李
樹下而生老子生而能言指李樹曰以此爲我姓或云上
三皇時爲玄中法師下三皇時爲金闕帝君伏羲時爲鬱
華子神農時爲九靈老子祝融時爲廣壽子黃帝時爲廣
太平廣記　卷一　神僊一　一

《太平廣記》書影

5　**《淵鑑類函》**

《淵鑑類函》是比《太平御覽》規模還要大的一部類書，由清帝欽定，張英、王士禛、王惔等編撰，成書於康熙四十年（1701年），共450卷。全書分43部，分2500餘小類。雖與以往的類書相似，仍分天部、歲時部、地部、帝王部……服飾、器物、食物、五穀等，但內容大增。此書以《唐類函》為藍本，據《四庫》提要言：「廣其條例，博採元、明以前文章事蹟，臚綱列目，薈為一編，務使遠有所稽，近有所考，源流本末，一一燦然。計其卷數，雖僅及《太平御覽》之半，然《御覽》以數頁為一卷，此則篇帙既繁，兼以密行細字，計其所載，實倍於《御覽》。蓋自有類書以來，如百川之歸巨海，九金之萃鴻鈞矣。」幾乎將以前類書中出現的內容，全部囊括。

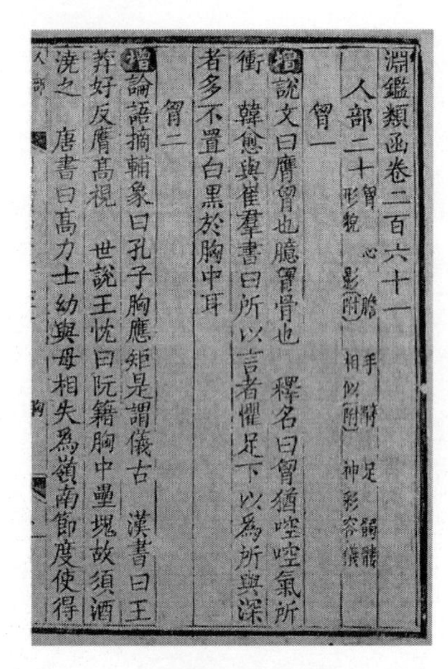
淵鑑類函卷二百六十一

人部二十 胷 心 膽 手 髀 足 髑髏 形貌 影附 相似附 神彩 容儀

胷一

增 說文曰膺胷也臆胷骨也 釋名曰胷猶啌啌氣所衝 韓愈與崔羣書曰所以言者懼足下以為所與深者多不置白黑於胸中耳

胷二

增 論語摘輔象曰孔子胸應矩是謂儀古 漢書曰王莽好反膺高視 世說王忱曰阮籍胸中壘塊故須酒澆之 唐書曰高力士幼與母相失為嶺南節度使得

《淵鑒類函》書影

凡《唐類函》原有的文字，在前面標「原」字；增補部分則標「增」字，引文標出處，詩文標篇名。內容分三部分，第一部分是敘事，第二部分是對偶或典故，第三部分是詩賦文章。如果不是做輯佚工作，此書似乎可以取代以前同類類書。

6 《古今圖書集成》

《古今圖書集成》共1萬卷，清康熙朝陳夢雷編撰，後經雍正朝蔣廷錫校訂。這是目前所見到的最大的一種類書，僅目錄就達40卷，共1.7億字，是《大不列顛百科全書》的五倍。收錄萬餘幅圖片，引用書目多達6000餘種。張廷玉《澄懷園語》中評價此書云：「自有書契以來，以一書貫串古今，包羅萬有，未有如我朝《古今圖書集成》者。」法式善《陶廬雜錄》稱《集成》：「薈萃古今載籍，或分或合，盡善盡美，發凡起例，綱舉目張，猗歟盛哉！」僅醫部就多達520卷，950萬字，徵引歷代重要醫籍120餘種。書分「彙編」、「典」、「部」三級目錄，「彙編」分曆象、方輿、明倫、博物、理學、經濟等六類。「曆象彙編」包括天文、歲時、曆法以及自然與人類的種種異常變化內容；「方輿彙編」包括山川地理、都城建置、四方風物等方面的內容；「明倫彙編」包括政治倫理、家庭倫理、社會倫理以及氏族和人事方面的種種內容；「博物彙編」包括農、漁、醫、商、神、鬼、釋、道、卜筮、星命、堪輿、術數以及草木鳥獸等方面的內容；「理學彙編」包括文獻及文史哲方面的種種內容；「經濟彙編」包括政治、經濟、禮儀、音樂以及各種制度方面的內容。每一「彙編」又分若干典，共三十二典。典下有部，共6117部。各部下資料又分為十類編排，即匯考、總論、圖、表、列傳、藝文、選句、紀事、雜錄、外編，確實是一部規模罕見、體例完備的大型類書。其內容之豐富，實令人吃驚。如「理學彙編」中的《文學典》，字數約達300萬字，分文學總論、名家列傳、藝文、紀事、雜錄，還有近50種文體的總論、藝文、記事與雜錄。而其所錄文學名家，遠遠超過了今天文學史著收錄的範圍，甚至方志中的許多作家也列入其中。這是研究中國文學與文化的人，不可不瞭解的。

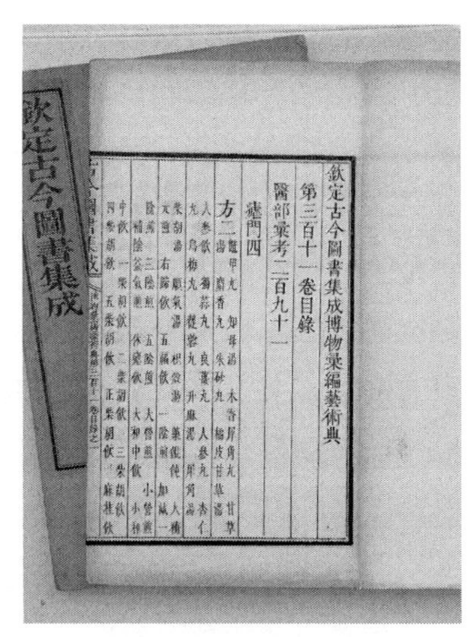

《古今圖書集成》書影

「類書」實際上就是中國式的百科全書，確實給閱讀、創作、研究帶來了很大的方便。但要注意的是，類書的資料因多相互轉抄，因此訛誤較多，引用時一定要謹慎，最好是根據類書提供的線索，去核對原書。

除類書之外，叢書也是研究文學應該關注的圖書。所謂「叢書」，就是按一定原則或目的叢聚起來的成套圖書。叢書始於宋而盛於明清。《中國叢書綜錄》所收達2700餘種，《中國叢書廣錄》收錄3200餘種。叢書有綜合性的，也有專科性的。如《四庫全書》《叢書集成》等，就是綜合性的叢書；像《皇清經解》《通志堂經解》，就是專門關於經學的。大量的文學典籍，保存在叢書中。

關於專門性的文學叢書，為數甚多。詩、文、詞、曲、戲劇、小說、文學評論等，都有專門的叢書。如明張溥輯《漢魏六朝百三名家集》、清吳重憙《九金人集》等，是包括詩賦及各類文章在內的文集叢書；明茅坤編《唐宋八大家文鈔》、宋陳亮輯《蘇門六君子文粹》等，則是關於文的；明朱警輯《唐百家詩》、宋陳思編元陳世隆補《兩宋名賢小集》、明俞憲輯《盛明百家詩》等，是詩集的叢刊；像明吳訥編《百家詞》、近人朱祖謀輯《彊村叢書》、近人陳乃乾編《清名家詞》等，是關於詞集的叢書；清人輯《樂府小令》、近人任中敏輯《散曲叢刊》等，是關於散曲的叢書；明毛晉輯《六十種曲》，以及民國以降所輯的《古本戲劇叢刊》《孤本元明雜劇》等，是戲劇的叢書；《筆記小說大觀》《古本小說集成》等，是小說的叢書；清何文煥組《歷代詩話》、近人丁福保輯《歷代詩話續編》及《清詩話》、今人郭紹虞輯《清詩話續編》等，是關於詩歌理論與詩評的叢書；清查繼超輯《詞學全書》、今人唐圭璋輯《詞話叢編》，則是詞學理論與評論的叢書；近人陳乃乾輯《曲苑》、中國戲劇研究院輯《中國古典戲劇論著集成》等，則是關於戲劇理論的叢書；近人周鍾游輯《文學津梁》，是文論的叢書；上海古典文學出版社輯《中國文學參考資料小叢書》，則是與文學相關的叢書。其他像尺牘、駢文、賦等，也都有叢書。

有些叢書與總集很相似，如清代李祖陶《國朝文錄》、沈德潛《七子詩選》等，是選錄各家之作，每人單獨為集。不過我們沒必要在概念上糾纏，只要知道有這一類文學圖書，並能夠利用它就可以了。

思考題

1. 何為別集？何為總集？各有何特點？
2. 總集有哪幾類？
3. 請舉出古代四部著名的總集，並略說其特點。

4. 何為類書？何為叢書？各有何特點？

5. 請舉出古代五部著名的類書。

6. 請舉出古代五種大型叢書的名稱。

7. 請利用類書，寫一篇關於月亮的文章。

參考書目

〔唐〕歐陽詢：《藝文類聚》，上海，上海古籍出版社，1965。

〔唐〕徐堅：《初學記》，北京，中華書局，1962。

〔宋〕郭茂倩：《樂府詩集》，北京，中華書局，1979。

〔宋〕李昉等：《太平御覽》，北京，中華書局，1985。

〔清〕紀昀：《四庫全書總目提要》，石家莊，河北人民出版社，2000。

〔清〕邵懿辰撰、邵章續錄：《增訂四庫簡明目錄標注》，上海，上海古籍出版社，1979。

〔清〕張之洞：《書目答問》，北京，商務印書館，1933。

〔清〕張英、王士禎等：《淵鑑類函》，北京，中國書店，1985。

〔清〕陳夢雷等：《古今圖書集成》，北京，中華書局；成都，巴蜀書社，1985。

李樹蘭：《中國文學古籍博覽》，太原，山西人民出版社，1988。

李樹蘭：《中國文學古籍博覽續編》，太原，山西古籍出版社，1996。

湯炳正：《楚辭今注》，上海，上海古籍出版社，1996。

胡曉明：《文選講讀》，上海，華東師範大學出版社，2006。

餘論
國學的基本素質及其當代意義

中國傳統學術是與西方學術完全不同的知識體系。現代的西方學術框架，無法容納中國學術體系，西學也不能替代這個體系。用西方概念來規範中國學術，所得到的只能是肢解後的知識殘骸，而失去的則是文化的精魂。在國學的知識體系中，運載著中華民族積累了數千年的生存智慧，以及為人類的和平、穩定而生成的價值體系。這種智慧與價值觀念，對於人類未來的生存，有著極其重大的意義。毋庸諱言，人類目前面臨著種種影響其繼續生存的危機，這個危機的起源，在於人類無法滿足的物質貪欲，在於不斷膨脹的利益最大化的價值追求。而這，又是以科學為中心的西方知識體系無法解決的難題。這個責任便義不容辭地落在了迥異於西方知識體系的中國傳統學術上。中國文化與西方文化猶如兩棵性質不同的樹，西方文化之樹是以最大利益為核心的，在這棵樹上結出的果實，如民主、法治、競爭、發展、自由、個性解放等，無一不是以利益最大化為核心的。也就是說，在西方文化中形成的這些觀念，只講利益保護和獲取，而不講道義、是非、善惡等。與此相反，中國文化之樹的核心則是道義，這棵樹上結出的果實如禮義廉恥、孝悌忠信等，只講道義，講是非、善惡，不講利益保護和獲取。在以上的分部論述中，我們已基本把握了中國學術的性質及其對於人生的意義。在此，我們需要作出綜合性的論述，以更清楚地看到中國學術的特色。

國學的基本素質

「國學」作為中國傳統學術，因其面對的是幾千年從無間斷的文明，是世界上最為豐富的文化典籍，因而其內涵十分豐富。就其要者而言，這是一個以天人一體為核心理論的知識體系，和以道義為核心價值的觀念體系，以及以和諧為核心精神的智慧運作體系。我們可將其有利於人類發展的基本素質歸納為以下八種。

第一，「天人一體」的哲學理論。

當代學者多命之曰「天人合一」，這是不準確的。因為，在中國傳統觀念中，天與人本來就是一體的，而不是分開再合的，如真德秀《蒙齋銘》所言：「天人一體，物我一源。」古人以天、地、人為「三才」，認為這三者是「萬物之本」，相互聯繫著，不能分開。所以朱熹說：「天即人，人即天。」《禮記・禮運》篇說：「人者，天地之心也。」這是說天地本沒有心，沒有理性，有了人才有了心，有了理性，人是天地的代言人。沒有天地，人無法生存；沒有人，天地之理不能彰明。那些得道的大聖人，能夠「與天地合其德，與日月合其明，與四時合其序，與鬼神合其吉凶」（《周易大傳》），成為天地自然之道的化身。所以說「聖人之道」，「發育萬物，峻極於天」（《禮記・中庸》）。《毛詩傳》中反覆提到「太平而後微物眾多」（《毛詩・魚麗》）、「太平則萬物眾多」（《毛詩・鳧鷖》）的現象，在文獻中，我們經常看到關於太平年間，「五穀熟，草木茂」的描寫。如漢代的大儒公孫弘描寫上古聖人治天下時就說：「陰陽和，五穀登，六畜蕃，甘露降，風雨時，嘉禾興，朱草生。」（《漢書・公孫弘傳》）《宋書・符瑞志》也說：「周德既隆，草木茂盛。」這表示古代中國人，並不只是關心人的生存，同時對萬物繁庶也表示了極大的關切。這實際上是一種人與萬物共生、共存、共榮的精神。這種精神使這個族群在幾千年的歷史中，能夠與自然和諧相處，並制定了大量保護自然生態的措施。

當然「天人一體」還有更多的意義，可說是中國傳統文化的一塊基石，像中國人的道德觀念、人格理想、價值判斷等都與「天人一體」觀念有諸多聯繫。

我們知道，過去在西方文化主導下，人們考慮的不是要與自然共生共榮，而是要開發自然，征服自然，讓自然為人服務，但最終適得其反。因為人與自然本來就是一體的。《韓非子．說林下》有這樣一個故事：有種叫做「蚘」的怪物，長著兩個腦袋。為了爭奪食物，兩個腦袋相互撕咬。一個把另一個咬碎了，可它自己也完蛋了。因為它們本是同體的。這個滑稽而又富有諷刺意味的故事，很能說明目前人類征服自然而導致生存危機的結果。中國傳統「天人一體」的哲學理論，對於人類認識自然、收斂征服自然的行為、挽救生態危機，無疑是有積極意義的。

第二，「勤儉」、「知足」的生活觀念。

「勤」指盡力從事，「儉」指節約材用，這是一種生活方式。「知足」指心裏永遠滿足，這是一種心理狀態。《尚書．大禹謨》稱讚大禹之德：「克勤於邦，克儉於家。」古代中國許多人家的門額上掛著「勤儉持家」、「克勤克儉」、「勤儉傳家」之類的牌匾；名人「家訓」中，也一定要把「勤儉」寫進去。這是個良好的傳統。《左傳》說：「儉，德之共也；侈，惡之大也。」（《左傳．莊公二十四年》）司馬光在家訓中對這兩句話作了很好的解釋，他說：「共，同也；言有德者皆由儉來也。夫儉則寡欲：君子寡欲，則不役於物，可以直道而行；小人寡欲，則能謹身節用，遠罪豐家。故曰：『儉，德之共也。』侈則多欲：君子多欲則貪慕富貴，枉道速禍；小人多欲則多求妄用，敗家喪身；是以居官必賄，居鄉必盜。故曰：『侈，惡之大也。』」（《傳家集》卷六十七《訓儉示康》）這從根本上反映了中國人以勤儉為本的生活觀念。

「勤儉」所要解決的是生活物資的問題，而「知足」則要解決的是人心問題。人在物質上的享受欲望是沒有窮盡的，只有「知足」，才能制止「貪欲」。老子《道德經》第四十四章說得很明白：「名與身孰親？身與貨孰多？得與亡孰病？甚愛必大費，多藏必厚亡。知足不辱，知止不殆，可以長久。」意思是說，人最重要的是生命，名和利都是身外之物，過於追求名譽和金錢，就會傷及生命自身，得不償失。如果知道滿足，拋棄貪婪的念頭，就不會讓自身受辱。《韓詩外傳》也說：「罪莫大於多欲，禍莫大於不知足。故知足之足，常足矣。」（卷九）說穿了，就是貪婪的欲望追求，是人類罪惡和災禍的根源。朱熹提出「存天理，滅人欲」，中國古代標榜「安貧樂道」，一個很重要的目的，就是為了杜絕罪惡與災禍的發生。

「勤儉」和「知足」是相輔相成的，知足並不等於沒有追求，沒有上進。追求與上進就體現在一個「勤」字中。「儉」則是合理地支配財物，以免匱乏。知足則要求適可而止，不要貪得無厭。顯然這種生活方式與觀念，對於遏制目前人類無限度地開採資源、無節制地追求生活享受、宣導「消費刺激生產」，是有積極意義的。

第三，「貴和執中」的處世思想。

「貴和執中」其實就是中庸思想。所謂「中庸」就是中正不變的恒道。《禮記》中的《中庸》一篇，就是專門闡述「中和」思想的。「中」是定位，是要處的位置，這就有個度的問題，也就是程頤說的「不偏不易」，恰到好處。「和」是運作，是處理方式。能夠把握住「中和」兩個字，就會天下太平，萬事大吉。但「中和」並不是不講原則。孔子說「君子和而不同」，又說「君子和而不流」。「不同」、「不流」都是要保持個性，堅持原則，並不是隨風倒。而和則是要和諧相處。

儒家關於「中庸」的理論，其中包含了好多內容，但最重要的是兩種基本精神，一是「包容」，一是「和諧」。這兩種文化精神，決定了中國文化對於現代世界的意義。在中國文化史上有絕高地位的孔子，他所提倡的仁、義、禮、智、孝悌、忠恕等，一切帶有溫情的道德觀念，無不是以「和諧」為基本精神的。所謂的「仁」，實際上強調的是人內在心性的和諧；「義」則是強調心與行的和諧；「禮」是強調人群關係的和諧；「智」是強調自我與外物的和諧；「信」是強調彼此心裏聯繫上的和諧；「孝悌」是強調血緣內部關係的和諧；「忠恕」是強調集團內部關係的和諧。其他如墨家的「兼愛」，道家的無為而治，法家的「置法而不變，使民安樂其法」等，都是以追求人類社會的和諧為旨歸的。而孔子所說的「君子和而不同」，這個「和」字既是和諧，同時也是講相互包容的。在中國人的習俗生活中，處處可體現出「包容精神」來。中國不少廟宇中，既有和尚，又有道士；廟宇中的塑像，有時是儒、道、釋三家的始祖同處於一個殿堂上。從中國歷史的發展中，更可以看出中國文化「包容」的特色來。中國民族的歷史，實際上就是一部「文化包容史」。從南北朝時期的五胡政權，到元、清兩朝的蒙古、滿族政權，一個個都被中原民眾所接受。古代民族之間的衝突，最終都在「和而不同」的原則下消解而走向了統一。「包容」不是一方消滅另一方，而是在相互承認「不同」的基礎上，達到「和」的狀態。

《國語》裏有兩句名言：「和實生物，同則不繼。」（《鄭語》）湯一介先生對此有很好的解釋。他說：「和諧以共生共長，不同以相輔相成。相異的事物相互協調並進，就能發展，而相同的事物疊加，其結果只能窒息生機。如果琴瑟老彈一個聲音，豈不令人生厭？而融合多種樂器的交響樂才是真正的和諧。」他又說：「中國傳統文化的最高理想是『萬物並育而不相害，道並行而不相悖』，在經濟全球化的今天，不同文明固然可以引起衝突，但多元文化同樣可以並存不悖，世界需要多姿多彩。」[1]這話說得非常好。

「中庸」思想中的和諧、包容精神，實際上就是一種「共生」、「共存」精神。而現在人類最缺少的就是這種精神。只有相互包容，和諧相處，才能使人類有永久和平。

第四，「貴義賤利」的價值選擇。

「義」和「利」是一組相對應的概念。「義」是屬於道德層面的，「利」是屬於物質生活層面的。在中國傳統觀念中，認為「義」比「利」更重要。孔子說：「君子喻於義，小人喻於利。」（《論語·里仁》）又說：「不義而富且貴，於我如浮雲。」（《論語·述而》）這是說作為君子，心裏更應該考慮的是義，如果不合道義而能讓自己富貴起來，那是打死也不能幹的。物質利益誰也想得到，看用什麼方式，得的是什麼性質的利。所謂「君子愛財，取之有道」，強調的就是在符合道德原則之下的利益獲取，不義之財不能發，義是必須堅持的原則。中國古代的平民思想家墨子也說：「有義則生，無義則死；有義則富，無義則貧。」（《墨子·天志上》）強調的是義對一個堅持道德原則的人的重要性。如果為了利而放棄義，那就是頂尖的大壞蛋，即荀子所謂「保利棄義，謂之至賊」（《荀子·修身》）。有人認為這是把義和利對立起來了，其實不然。中國文化並不是不講利，在《周易》中，幾乎無卦不言利。不過中國文化強調追求大利而不是小利。什麼是大利呢？就是「天下之利」。《周易·文言》有兩句話很值得注意，一句是「利者，義之和也」，一句是「利物足以和義」。所謂「義之和」，是說天利萬物，使萬物各得其宜，這是合於義的，故稱「義之和」。用張載的話說，就是「義公天下之利」。所謂「利物足以

1 楊雪梅：《湯一介教授：找回民族力量之所在》，載《人民日報》，2004-12-24。

和義」，實際上是說，讓萬物都獲其利就是義。只為一己私利考慮，那自然不是義了。所以《孝經注》又說「利物為義」。用今天的話說，只考慮一人、一家、一國之利，而不考慮世界各國人民的利益，那就是「小利」。能為人類考慮，那就是大利，就是「義」，就是「公天下之利」。當個人利益與道義發生衝突時則要毫不猶豫地「舍利取義」。孔子主張「殺身成仁」，孟子主張「捨生取義」，都是指在義利衝突情況下的選擇。也就是說要堅持道義原則，而不是利益原則。而世界的紛亂、爭鬥，正是在失去道義的利益爭奪中發生的。像當下全世界都以追求利益最大化為價值取向，其結果必然會訴諸戰爭。中國三十多年來伴隨經濟發展而來的社會問題，也在證實著「貴義賤利」傳統價值觀的意義。如果使這種價值觀進入人類未來選擇的視野，在全球化中發揮作用，這應該是當下中國學人的責任。

第五，「修己治人」的治學理念。

「修己」是提升自己，「治人」是以智濟世。《禮記・大學》提出了修身、齊家、治國、平天下的人生道路，這與「修己治人」是一個意思。修、齊、治、平是人生的四個步驟，修、齊屬於「修己」的階段，治、平便屬於「治人」了。中國人的人生理想，其最佳結果便是「修齊治平」這四個字的實現，這也是中國傳統大學的理念。《禮記・學記》中還提出了君子「化民易俗」的理念，這就是要每一個大學生有一種高遠的志向抱負，讀書不是為謀私利，而是要承擔起引導社會向善的職責。古人認為，學習的第一要義是「修己」，此即孔子說的「古之學者為己」，荀子所說的「君子之學也以美其身」。在自己獲得提升的基礎上，然後要變知識為智慧，為社會服務。當然服務社會是有層次的，如果有機會做官，便可以立德立功，實現「治平」理想，這是最完滿的。但更多的讀書人是沒有機會做官的，這就要求讀書人有社會責任感，不可放棄一個知識擁有者的社會角色，要用知識教化民眾，使社會能有一種好的風尚，呈現出健康的精神風貌。故《學記》說：「九年知類通達，強立而不反，謂之大成。夫然後足以化民易俗，近者說服而遠者懷之，此大學之道也。」顧炎武提出：「君子之為學，以明道也，以救世也。」「明道救世」，這正是一個傳統知識分子的胸懷和責任，是在不能實現「治平」理想的條件下所抱有的一種志向。當下在西方教育思想的影響下，大學以培養工具性人才為目標，傳統的學人精神喪失殆盡。這種精神的喪失，使社會失去了健康向上的引力，其結果顯然是不理想的。

第六，君子人格的人生目標。

中國傳統的儒家教育，一個基本的目的，就是要教人如何做人，而「君子」就是儒家教育設定的一個人格目標。《論語》中的孔子，則是君子人格的典範。在《論語》與《孟子》中，對君子有很具體的描寫，如好學善問、溫厚寬容、崇德向善、慎言敏行、仁民愛物、見利思義、勇於改過、安貧樂道、嚴於律己，等等，都是君子的基本品格。一句話，君子就是一個堂堂正正、不斷追求更高的人生境界的人。君子的德、才、智都有高低之別，但他們能夠不斷學習，不斷上進，追求人格的完滿。孔子強調「仁」，就是君子人格最高境界的標誌。「仁」是一種心靈狀態，是以愛對待天地萬物，視天地萬物為一體，即宋儒程顥所說：「仁者，以天地萬物為一體，莫非己也。」（《二程遺書》卷二）所謂「仁者無敵」，就是指仁者心中沒有對立面，能用愛化解天地間的戾氣。這種愛施於天地間，便可營造一種人文生態，一種讓人心情舒暢的環境，同時使自己的心靈達到和樂的狀態。《論語》開首言：「子曰：學而時習之，不亦說乎！有朋自遠方來，不亦樂乎！人不知而不慍，不亦君子乎！」這寫的其實就是仁者的心靈境界：讀書是快樂的，交友是快樂的，人不知而無憂怨之色，仍然是快樂的。所謂「仁者不憂」，就是在這個層面上說的。

中國傳統文化中設定的君子人格目標，應該代表人類發展的主流方向，因為它把重點放在了人心、人性的修養上，這應該是人類發展的一個本質性的問題。君子的高尚帶給社會的是安詳，是精神上的舒暢，是人類永久的和平、安寧、幸福與快樂。如果以君子人格為人生的目標，人類的征服欲與佔有欲就不會膨脹到目前這種狀態，核武器也根本就不可能產生，人類戰爭的威脅就不可能存在。可是目前我們卻把人類的發展方向定位在了科技、經濟的發展。而「現代科技」的飛船隻能在人類的征服欲與占有欲極度膨脹之中起飛，伴隨著的便是庸俗、醜惡、貪婪、衝突、競爭、相互傾軋。這導致了人性一步步惡化，使一批頂尖的科學家，把自己的聰明才智耗費在了殺人武器的創造上，使人類永無寧日。這不能不令人擔憂。

第七，「天下大同」的政治理想。

大同理想是中國文化與他種文化一個特大的不同之處。《禮記．禮運》篇說：「大道之行也，天下為公。選賢與能，講信修睦，故人不獨親其親，不獨子其子。使老有所終，壯有所用，幼有所長，矜寡孤獨廢疾者皆有所養。男有分，女有歸，貨惡其棄於地也，不必藏於己；力惡其不出於身也，不必為己。是故謀閉而不興，盜竊亂賊而不作。故外戶而不閉，是謂大同。」這實際上是說，天下大同是一種最美好的社會景象，它的美就在於「天下為公」，世界充滿了祥和。這無疑是中國人的一種社會理想，但這種理想中卻洋溢著一種「世界精神」。這種「世界精神」關注的不是一人、一家、一國之利，而是天下之利。中國傳統知識分子一個自我實現的最高目標就是「平天下」。「達則兼濟天下，窮則獨善其身」，所謂「天下」，就是所有人類的地方。這是一種大胸懷，大氣概，大抱負。梁漱溟先生在對中西文化作比較時曾說，西方人更重個人和國家，中國人更重家庭和天下。[2]有

2　《梁漱溟學術論著自選集》，331-332頁，北京，北京師範大學出版社，1992。

人認為，中國人所謂的天下，其實還是中國。這是不對的。《禮記·中庸》裏所說的天下乃「天之所覆，地之所載，日月所照，霜露所隊」，顯然不是中國所能包括的。

由於有這種「天下觀念」和「世界精神」，所以古代的中國政府，很少有狹隘的本土利益考慮，而總是要考慮到「天下」。古代所謂的四夷朝貢，其實只是一種表示天下一統的「證明書」，政府並不靠那發財。有時皇帝賞賜給四夷的財物，價值要遠遠超過貢品的價值。當時政府考慮更多的是天下太平。用梁漱溟先生的話說：「歷史上中國的發展，是作為一個世界以發展的，而不是作為一個國家。」[3]到西方國家出現在中國人面前之初，國人並沒有消除那種「天下觀念」和「世界精神」，故而出現了康有為的《大同書》，出現了費孝通先生的文化大同理想：「各美其美，美人之美，美美與共，天下大同。」[4]正是這種觀念和精神，使中國人不自覺地消除了狹隘的民族主義觀念，能夠與世界各民族共生、共存、共榮。現在世界上國家與民族間的衝突，最根本的就是缺少這種觀念和精神，都在堅守自己的利益，都想為自己國家、民族多獵取一份利益，衝突自然就難免了。

第八，禮樂教化的文明秩序。

禮樂教化是周代曾經實行過的一種制度，春秋之後禮崩樂壞，到秦漢以後，只是殘存一些影子而已，但這種制度卻給中國人留下了美好的回憶。孔子一生所追求的就是禮樂制度的修復與實踐，當然其中也有些理想化。

所謂「禮」，指的是一種行為規則。《說文》云：「禮者，履也。」就是指禮是人所踐履的，包括人的行為準則、道德規範、尊卑

3 《梁漱溟學術論著自選集》，332頁，北京，北京師範大學出版社，1992。
4 《費孝通學術自述與反思》，142頁，北京，生活·讀書·新知三聯書店，1996。

秩序以及禮儀規矩等。人的嗜欲好惡，都由禮來節制。在古人看來，人與動物不同的就是因為懂得禮。禮與法有點相似，但又不同，法是強硬的、缺少人情味的，而禮則是有溫情的，是與道德、教養相聯繫的。在法的面前，人考慮的是敢不敢那樣做；在禮的面前，人考慮的是該不該那樣做。禮的核心是一個「敬」字，即《孝經》所說的：「禮，敬而已矣。」人與人之間相互尊敬、禮讓，便可以營造出一種和諧的氣氛，故《論語》說：「禮之用，和為貴。」「樂」指音樂，它要表現的是一種精神狀態，人心中喜樂，便「詠歌舞蹈，自不能已」。禮是社會規定的，樂是內心發出的。所以《樂記》說：「樂由中出，禮自外作。」「禮」負責規範人的行為，而「樂」則負責調和人的性情，人的喜怒哀樂之情，都可以在樂聲中化解。樂還有一個重要功能，那就是教化，感發人的善心，誘導人向上，移風易俗，讓社會處於平和的狀態中。所謂「教化」，就是教育感化，使人在教育中，將仁義禮智信等社會道德內化為自己的心靈，在行為上表現出來。所以古人說：「禮所以經國家，定社稷，利人民；樂所以移風易俗，蕩人之邪，存人之正。」（《淮南子．時則訓》高誘注）由此，實現社會秩序的文明化。

現代社會強調法治，更多的人便對禮有了偏見，但法治不能遏制人貪得無厭的利益追求和生活享受。而中國古代制禮多半是為了解決這個問題的，即《樂記》所說的「禮者所以綴（輟）淫也」，意思是，禮是為了制止人的過分之求的。荀子說得更直接，他說，人的欲望追求無止境，便會引起爭鬥和混亂，所以先王要制定禮來規範人的行為，讓人懂得節制（見《荀子．禮論》）。我們經常把「禮讓」兩個字合在一起。因為禮和讓是相聯繫的，如果人與人、國與國之間，都能多一份禮讓，世界也就會減少很多衝突了。但是對於禮，人並不一定能從內心接受，這就需要教化，就是漢朝大儒董仲舒所說：「萬民之從利也，如水之走下，不以教化堤防之，不能止也。」通過教化，「漸民以仁，摩民以誼，節民以禮」，這樣就可使民風改善（見《漢書・董仲舒傳》）。教化離不開「樂」，用健康的音樂來感發人的善心，把心中那種不健康的欲望沖洗掉，最後達到移風易俗的目的。顯然，禮樂教化可以補充法治的不足，有利於人類的持久和平。

以上這八個方面，都是中國文化中對當代人類的和平、穩定有積極意義的精神資源。

國學的終極目標：萬世太平

正是由於中國文化擁有以上我們所論述的基本素質，因此保證了中國社會乃至東方社會兩千多年的相對穩定、和平、和諧與發展。而且，它對於未來世界的和平、和諧與人類的協調發展，必將發揮積極的作用。

西方科學文化側重於「求真」，因而對於探索未知領域充滿了興趣，而且永無止境，至於說這種探索的最終結果如何，基本上是不予考慮的。中國文化則不同，它是「求善」的，有一個最終的目標，這就是《禮記》所說的「天下為公」的「大同」社會。用最通俗的話說，就是「萬世太平」。宋朝人著《太平經國書》十一卷（鄭伯謙），明朝有人給皇帝獻《萬世太平治要策》（桂彥良），清朝有人寫《萬世太平書》十卷（勞大輿）。柯尚遷《周禮全經釋原序》即稱「聖人作經，以開萬世太平」。中國人是酷愛和平的族群，而古代中國的精英群體，他們的奮鬥目標則是「為萬世開太平」。這是一種非常宏大的理想、抱負，在這樣一種文化思想支配下，一切眼前小利，以及不利於人類未來的技術成果，便會統統被拋棄，而把人類永久的安定、團結、和平和幸福放在第一位。因而在世界存在著多種危機的今天，中國文化便成了人類和平的最大希望所在。

「中國文化否定論」者提出，中國傳統文化優秀而又悠久，可為什麼會遠遠落後於只有幾百年歷史的美國和很多歐洲國家呢？這也是社會上一般人的一個困惑。這個困惑主要是由價值觀的倒錯造成的。首先是對「落後」與「先進」的認識，就存在著一個價值判斷的問題。現在人們之所以認為西方國家先進而中國落後，主要是看到了西方國家的科技與經濟比中國發達，西方人的物質生活水準要高於中國人，像美國、英國人的生活消費要高出中國人好多倍。他們認為經濟與科技發展，就是人類的發展。

這實際上是一個不小的誤區，要知道科學技術與經濟的發展，只是外在於人的生產工具與生活工具、物質條件的發展，是人類創造力的一種體現，而不能代表，或者說不能完全代表人類的發展。人類發展更主要的應該指內在於人的精神的發展、人性的發展，應該是人類精神向道德領域的不斷提升。因此看到中國經濟與科技不如美國，就認為中國落後，這種認識起碼是不全面的。因為人類的雙輪車，除了科技之輪外，還有人文之輪。而現在，「人文」這個輪子幾乎停止了轉動，科技卻在高速發展。科技發展確實減除了先前人類肉體所承受的重荷，但它所帶來的極大便利，卻誘使人類的物欲不斷膨脹，隨即將人類拖向了殘酷競爭的洪流之中，使人類心靈遭受到了從來沒有的壓力和痛苦。電視機、電腦等走進了尋常百姓家，而足以毀滅人類數十次的核彈也隨時有可能被引爆。人類乘坐飛船飛上了太空，而自己的家園卻在貪欲中遭到了空前的大破壞。道德滑坡、人性墮落，使整個社會處在了戰亂、紛爭、痛苦、焦慮、恐懼、惴惴不安之中。如果把這稱作發展，那麼「發展」對於人類不是幸運，而是悲劇。所謂發展，應該是一個全方位的概念。猶如孩童的身體心智，隨年齡協調成長，可謂之發展。如果身體長而心智不長，那便是病態，而不是發展。有人把傳統道德的喪失認作是觀念的革命，把由此而帶來的親情、友情、信譽、信仰、人格的喪失與犯罪、自殺率的上升，以及生態環境的惡化，認作是人類發展必然的代價。這種價值判斷，本身就意味著「人性的墮落」、人類目標的偏離。

其次，是價值取向的問題。西方文化中高揚的是一個「利」字。追求利益的最大化，是這一文化價值取向確定的發展目標。利益最大化的追求，必然會驅動科技的發展，因而西方在物質的現代化方面，就顯得格外突出。而中國傳統文化中高揚的是一個「義」字。貴「義」賤「利」，是這一文化的價值取向。在社會生活中，中國人首選考慮的是「義」，「利」只有在服從於「義」的時候，才被接受。這樣，自然在物質財富的創造上，必然不會像現代人那樣絞盡腦汁，而在事物的處理上，必然要權衡「義」、「利」。舉個例子，漢宣帝時，西羌造反，當時國庫空虛，因為漢武帝時用兵過多，耗盡了國庫。關於籌措軍費的事，大臣們進行了討論，提出了兩個方案：一個是讓囚犯掏錢贖罪，贖罪的錢用於軍費。另一個方案是加大稅收，讓百姓負擔。用現在人的觀念看，第一個方案是很不錯的，既解決了軍費問題，也不會加大百姓的負擔。但在當時被否決了，而選擇的是第二個方案。原因是，如果讓犯人掏錢贖罪，儘管可以籌措到錢，但其後果會造成人對「利」的追求，錢既然可以贖罪，自然就可以買到一切，人們便會為錢奮鬥，這樣會把老百姓引到唯利是圖的方向上去。而加大賦稅，是讓老百姓懂得「義」，知道君民一體的道理。國家有了難，老百姓有責任、有義務幫助國家渡過難關；如果百姓有了難，國家也會打開國庫，救濟百姓。這有關乎「教化」，利於長治久安。這是在「義」、「利」取捨上的一個典型例子。

最後，古代中國人對於發展科學技術，是在保證人類長治久安的前提下考慮的。中國人對於科技發展有三個原則。第一是不影響人體健康。如在漢元帝時，中國人就發明了溫室培養蔬菜的技術，冬天可以吃到新鮮蔬菜。有個叫召信臣的人給皇帝上書，要求禁止。理由是，這是「不時之物」，違背自然規律，「有傷於人」。皇帝聽了他的話，便禁止了這項技術的發展。現在科學研究也證明，反季節蔬菜，會導致癌症發病率的上升。第二是不影響人類的生態環境。如西漢後期，人們為了發橫財，大力開採礦產，鑄銅錢。有個叫貢禹的大臣給皇帝上書，要求禁止開採。理由是：地藏空虛，山不能含氣出雲，會導致水旱之災害的發生。從周朝開始，中國人就注意了保護生態，如什麼時候可以伐木，什麼時候進山不能帶斧頭，什麼季節不能打獵等，都有規定。因為他們是把宇宙作為一個整體來看待的，人類過多的追求眼前的利益，必然會後患無窮。第三是有利於人類的健康發展。大家知道，近代資本主義是在利益驅動之下發展起來的，利益驅使他們不斷創造新的侵略工具——殺人武器，隨而以軍事侵略為手段，以經濟掠奪為目標，開始了對世界的瓜分。如果沒有新型武器，就不會有那麼多殖民地、半殖民地。但中國人對於殺人工具極無興趣。明朝晚期，有人製造出了機關槍，一次可發射28個彈丸，這可以說是當時世界上最先進的武器了，但後來卻沒有敢拿出來用。因為他感到這是缺德的事，一旦生產出來，不知道要有多少人死於非命（牛應之《雨窗消意錄》卷三）。在清代康熙、乾隆時期，有人不止一次地把最新的武器獻給清朝皇帝，可是皇帝對那根本不感興趣。今天中國有不少學者寫文章，罵清朝政府妄自尊大，以為當時沒有生產先進武器是一個大錯誤，最後遇上了強盜，吃了大虧。但從中國文化的本質上考慮一下，就會明白，中國文化追求的是和平，而不是戰爭。這種文化具有的那種善良本質，對大規模的殺傷性武器，絕對是排斥的。他們考慮的是人類永久的健康發展。正如德國哲學家萊布尼茨所說：「中國人在戰爭藝術與戰爭科學上不如我們，這不是出於無知，而是他們本意不願如此。他們鄙視人類中所有產生或導致侵略的行徑。倘若地球上只有他們自己存在，那麼這是明智的舉動。可眼下的情形卻使那些最守本分的人也不得不準備害人的技術，其目的為了不使所有的邪惡力量加害自己。就這一點而言，我們超過他們。」（《中國近事》序言，此處撮其大意）假如中國人要像西方人那樣，讓征服欲與占有欲無限膨脹，明朝晚期發明的機關槍，就可能把世界上的珍寶大量掠奪到中國，中國的版圖也不會是現在的樣子。正是由於中國文化中的善良本質，使清朝政府沒有發展軍事技術，使得中國自近代以來遭受到了世界列強的一次又一次的侵略。這確實是中國文化的悲哀。

正是中國文化貴義賤利的價值取向，與追求長治久安的生活理想，使中國人具有了與其他民族不同的眼光，他們考慮的是人類持久的發展，而不是眼前的利益。當科技、經濟有礙於人類身心健康，威脅到人類未來的時候，他們會毫不猶豫地遏制它的發展。這就是中國近代在科技上落後於西方國家的主要原因。

「中國文化否定論」者又責難說，中國傳統文化既然重在精神、道德方面，可是我們看到目前中國的社會秩序、文明程度以及表現出來的社會道德，都不如西方發達國家，這該如何解釋呢？鼓吹中國文化優秀，究竟優秀在哪裏？

關於這個問題，可以從三個方面考慮，一是「治表」與「治本」的問題，二是中國文化斷裂的問題，三是中國文化傳統斷裂之前的中國社會的情況。

先說第一點。所謂「治表」，是指對社會表象層面的規範、治理；所謂「治本」，是指對人心的教化。現在發達國家主要採用的是「治表」的辦法。比如新加坡，誰要隨地吐痰，被捉住後便會讓穿上寫著「垃圾蟲」字樣的短衣，做臨時「清潔工」。有動物學家做過這樣一個試驗：把一隻黑猩猩關在一個大房子裏，房子的天花板上掛上一串香蕉，並設上機關。猩猩的爪子一接觸到香蕉，香蕉裏就噴射出大量的水來。第一隻猩猩為此吃了不少苦頭。然後再把第二隻猩猩放進去。當第二隻猩猩要動香蕉的時候，第一隻猩猩便會向它進攻，同時第二隻猩猩也因噴水吃了苦頭。再把第三隻猩猩放進去，同樣它也想吃香蕉，但也遭到了同樣的懲罰。然後連續放進七八隻猩猩後，後來的猩猩看見前面來的猩猩不敢動香蕉，自己也就不敢產生吃香蕉的念頭了。這樣再陸續放進幾十隻去，而把先前受過懲罰的幾隻猩猩調出來，儘管香蕉上的機關已經關閉，再也不會噴水，而且屋子裏所有的猩猩都沒有被懲罰的經驗，但卻沒有一隻敢去動它了。「不許動香蕉」，可以說是這個猩猩群的一個法規，這些猩猩守法，並不是因為它們沒有貪念，而是懼怕懲罰。西方社會的秩序，以及表現出的文明、道德，其實都是在對法律懲罰的恐懼中形成的。中國人講究的是德治而不是法治，是要人們懂得是非，從而自覺遵守社會規定。孔子說：「道之以政，齊之以刑，民免而無恥；道之以德，齊之以禮，有恥且格。」（《論語・為政》）這是說，用法度、刑罰來整頓老百姓，老百姓只是暫時懼怕懲罰而不敢犯罪，並不是懂得了廉恥。用道德、禮義來教導和規範百姓，人們便懂得了什麼是廉恥，犯罪的事自然就不會去做了。顯然中國人關注的是「人心」，想要從人性的根本上解決問題，要讓人明白是非道理，從而自覺遵守社會規範，這就是所謂的「為萬世開太平」。這樣難度自然很大，但中國的聖人們還是要向著這個方向努力，因為這有利於人類永久的和平。而西方的法治不講是非，只講遵守，這樣自然要簡單了。「禮治」之目的是人性善的一面，也是用一種善良的方式對待人的。「法治」關注的是人性惡的一面，是用強硬的手段來解決問題的。當然從表面上看，法治比禮治更容易見到效果，但要求對每一件事，規定得都很細才行。西方的法律條文之所以煩瑣，原因正在於此。

第二點，是中國傳統中斷的問題。中國傳統文化在20世紀遭到了前所未有的大破壞，從「五四」到「文化大革命」，主旋律就是批判中國傳統。20世紀80年代的改革開放，實際上是一次政府、民族知識群體與普通民眾共同參與的一次對中國傳統文化更為理性的衝擊。改革開放把西方文化潮水般地引入中國，使西服革履徹底替代了過渡性的中山裝，從婚喪嫁娶到兩性關係，從各種典禮儀式到習俗行為表現，從生活用具到生活方式，都出現了天翻地覆的變化。中國文化傳統在社會表層上，幾乎消失殆盡。在物質利益的巨大引誘之下，出現了種種不軌行為。傳統給人以制約的「仁義禮智」的道德觀念和輪迴報應的宗教信仰，迅速地崩潰了，而向西方學來的法治觀念卻一時確立不起來，法治制度也沒有健全起來，這便出現了現在的情況。就當前的無序狀態而言，一部分是因章法不明、傳統中斷導致，還有些則屬於生活習慣問題，並不能就此認為中國人原本就道德水準低或文明程度差。而西方國家的有序狀態，也不能說明他們的道德水準和文明水準就一定高。比如美國，對待他們自己的國民講道德，講博愛，然而卻一再地出兵別國，掠奪他國利益。2003年又以伊拉克持有核武器的不實之罪出兵伊拉克，導致了迄今約65.5萬的伊拉克平民死亡。這裏顯然展現出的是野蠻和醜惡，沒有道德可言。

第三點，我們可以從西方人的著述中來瞭解一下，中國文化傳統斷裂之前的情況。我們在20世紀一批革命者的著作中看晚清中國社會，簡直是人間地獄，一團糟。可是在18世紀前後西方人的著作中的中國卻是另一種情境。大約從16世紀末開始，一批歐洲傳教士來到中國，並陸續把中國的情況以及經典介紹給西方。在當時西方人看來，中國真成了天堂。如早期到中國傳教的利瑪竇（1552-1610）在《中國札記》中就說：中國以普遍講究溫文有禮而知名於世。這是他們最為重視的五大美德之一。對於他們來說，辦事要體諒、尊重和恭敬別人，這構成溫文有禮的基礎。於是到17世紀後半葉，歐洲便興起了中國文化熱。當時歐洲的最大帝國是法國的波旁王朝，這個王朝的統治者路易十四曾開創了一個風流世紀，而最令人注目的就是他在法國宮廷帶頭掀起的中國熱。他帶頭穿中國式的綢袍，一時大家紛紛仿效，成為一種時髦。人們為了表示自己屬於上流社會，穿著中國綢袍，跑到所謂中國式的茶館裏邊喝蓋碗茶。中國的瓷器、絲織品、茶葉、漆器，以及園林藝術、裝飾風格，一時都進入西方人的生活。這個時代歐洲一批優秀的學者，都用各種不同的敘述方式，表示了他們對中國文化的讚揚和憧憬。如魁奈稱：「中國的學說值得所有國家採用為楷模。」霍爾巴赫說：「中國是世界上唯一的將政治和道德結合的國家」，是一個「德治或以道德為基礎的政府」，「這個帝國的悠久歷史使一切統治者都明白了，要使國家繁榮，必須仰賴道德」。他宣稱，法國要想繁榮，必須「以儒家的道德代替基督教的道德」。伏爾泰稱讚中國是「舉世最優美、最古老、最廣大、人口最多而治理最好的國家」，並說：「在道德上歐洲人應當成為中國人的徒弟。」狄德羅主編的《百科全書》「中國」條目中，盛讚「中國民族，其歷史之悠久，文化、藝術、智慧、政治、哲學的趣味，無不在所有民族之上」。這些讚揚反映了當時中國在世界上的形象。這說明在中國文化斷裂之前，中國本來是美好的。

但英國工業革命之後，西方人的觀念發生了改變，瓜分世界的行動開始。為了尋找理由蠶食善良的中國，於是把中國描寫成了半野蠻的社會，故此時的西方人的著作中出現了關於中國社會野蠻行為的記述，隨後堂而皇之的鐵蹄踏上中國的土地，奴役中國的人民，從而徹底打破了中國社會原有的寧靜，導致了20世紀中國人對自己文化的徹底否定，也導致了社會脫軌現象的出現。顯然這屬於一種非正常狀態，不能以此來否定中國文化。

我們來看東西方兩種文化支配下的不同社會情況，更有利於理解中國文化的優長。西方文化支配世界，不過短短的兩個多世紀，便使人類感到了種種毀滅性危機。而中國文化，從孔子建立經典文化體系開始算起，至19世紀，少說也有兩千多年的歷史。在中國文化的支配下，東方社會平穩地發展了兩千多年。維持兩千多年社會和平發展的文化，與只有二三百年便造成人類生存危機的文化相比，它的「優秀」之所在，自然就顯而易見了。

西方文化為人類創造了燦爛的物質文明，將人類的物質生活提高到了人類歷史的高峰，這個巨大功績，是任何人也抹不掉的。而在維護人類持久和平以及人類的可持續發展上，中國文化更具有現實意義。我們現在宣導「國學」，並不是要排斥西方文化，而是希望人類在發展科學技術的同時，更多地考慮一下人類未來的生存與和平發展問題，考慮一下人類自身的發展即人性的發展問題、人類道德精神提升的問題。在政治上我們反對霸權主義，文化上同樣也反對霸權主義。每一種文化都有它存在的意義，都有別的文化所不及的長處。文化有性質的不同，而沒有先進與落後之別。任何想用一種文化取代其他文化的念頭都是錯誤的。

國學在人類文化格局中的角色

關於東西方文化的異同、優劣的爭論，已經持續了百年之久。如何在人類文化的整體格局中，來認識國學的角色、性質及其對人類文明的意義，這是一個新的命題。

就人類文化的整體格局而言，猶如人體之整體格局，有正脈，有支脈，這兩個系統是相互配合的。正脈貫通人體主幹——即從頭到腿間會陰的任督二脈；支脈是貫通於四肢的脈絡。正脈主生命，若斷必死；支脈主生產，斷則致殘，會使生活品質下降，但不至於危及生命。堅守道義原則、以人類萬世太平為終極目標的文化，即可視為正脈。中國文化便是其代表；堅持利益原則，以發展、創新、競爭、超越等為生存手段的文化，即可視為支脈，歐美文化便是其代表。

之所以說中國文化是人類文化的正脈，主要在於它根植於人類道德性的自覺，是對人類善性的發現與培植，有一種向善與向上的力量在導引著，而這也是人類獨具的品性。人類從自然界走出，依靠兩種力量，一是智慧，一是道德。「智慧」使人類在力不及虎豹、捷不及禽獸的條件下，能夠戰勝自然，創造了人類豐富多彩的生活；「道德」使人相互之間以誠相待、協同合作，構建了人類最初的社群和組織。

就道德而言，人類最初構建群體組織，信賴的便是一個「誠」字。所謂「誠」，就是「真實無妄」。《禮記・中庸》說：「不誠無物。」「誠者，天之道也；誠之者，人之道也。」「唯天下至誠為能經綸天下之大，立天下之大本，知天地之化育。」換言之，天地間若沒有了誠，萬物不能生，人類無以成。我們習慣上用「淳樸」、「憨厚」、「赤子之心」形容人的純正的德性，這正是對人類初始行為狀態的表述。所謂「人心不古」，則是對世人失去古人淳樸之心的感歎。儒家所強調的「禮」，便是建立在作為「天下之大本」的「誠」的道德意識基礎上的。在政治權力出現之前，有了相互之間的誠信守諾，才有可能出現人類最初的規則和群體，人類社會才能形成。但在國家機器形成之後，是用何種思路和方法維護社會秩序，這便因生活方式、價值取向的不同而有了區別。

中國是以農耕文明為基礎的國家。農耕人群所從事的是培養生命成長的工作，田地裏的作物，家圈裏的牲畜，以及雞、鴨、狗、貓之類等，每一種生命都需要在關愛中才能正常地繁衍、成長。而生物在四季迴圈中耕種收藏、休養生息的生活節律，又使從事農耕的人群感受到了天人一體的關係，以及「天地信而歲功成」的哲學道理，感受到了天地萬物之間的聯繫乃是生命與生命間的一種聯繫。由對生命的關愛而培養的道德情懷，使之相信人皆有向善和向上的良知之心，人間的秩序應該建立在以「仁義禮智信」為原則的道義基礎上，由此而形成了18世紀前西方人眼中的「禮儀之邦」。荀子在《禮論》篇中，曾對以禮為核心的社會秩序的建構，作了理論說明。他說：

> 禮起於何也？曰：人生而有欲，欲而不得，則不能無求；求而無度量分界，則不能不爭；爭則亂，亂則窮。先王惡其亂也，故制禮義以分之，以養人之欲，給人之求，使欲必不窮乎物，物必不屈於欲，兩者相持而長，是禮之所起也。

這實際上是在強調，禮是維護社會道德秩序的綱紀。其功能一是確立尊卑秩序（注意，尊卑是表示上下位置，而不表示價值），二是制止人的欲望膨脹、人性下墜，最終則實現社會的有序與和諧。「禮」之內核在一個「理」字，故《禮記·樂記》說：「禮也者，理之不可易者也。」後期儒學強調「理」，堅持的仍然是道德性原則。

中國社會長期以「禮」為核心，維持社會生活秩序，這是歷史選擇的結果，是在經驗和教訓中，選擇出的最理想的人類生存之道。在東方的歷史上也曾有過放棄「禮」的時代和地區，如戰國時的秦國，用「法」代替「禮」，用赤裸裸的物質利益代替道義，被中原各國視為「虎狼之國」。雖然秦國憑藉著利益煽動起的國民好戰熱情，獲得了一時的成功，完成了統一大業。然而卻因道義喪失，前後興盛不到150年，便徹底消亡。其因道德喪失導致的民風敗壞的後遺症，給歷史留下了深刻教訓。《呂氏春秋·高義》篇就曾記到了「秦之野人，以小利之故，弟兄相獄，親戚相忍」的民風。賈誼在《陳政事疏》中更詳言法治推行後「秦俗日敗」、父子如路人的情形。這種教訓使得漢初百餘年間的士大夫群體，在對秦二世而亡的思考中，不斷探討歷史的運動方向。正是在對歷史的深入研究和深刻反思中，知識群體在其智慧的充分發揮中，基本達成共識，最終選擇了以道義為核心價值的經典文化體系，走上了以「禮」治國的道路。在「禮」的堅持中，中國及東亞國家平穩地走過了兩千多年。顯然，這是一條健康的人類生存之道，當然人類在今後的進程中還會繼續完善這條道路，但大的方向不應改變，因為它代表了人類正確的發展方向，代表了人性發展的方向（我這裏所說的人性，是指人獨具的品性，而不是人獸共有的被當代哲學家稱作「人性」的那種東西）。人類只有在這一道德原則的堅持中，才能繼續生存。一旦這條主脈中斷，人類就會走向消亡。

歐美文化則代表的是人類文化的支脈。這種文化是以商業文明為基礎的。這種文化，視世界為財富堆集，視社會為結構關係。人只有發揮其智慧與創造力，才能獲取更多財富。因而這種文化的價值取向是追求利益最大化，滿足人的欲望。但這種滿足，是以破壞道德維繫的平衡為代價的，在這種文化體系中，人性中所殘存的動物性的醜惡的東西被合理化，但在集團內部可通過失去人性溫情與道德原則的社會規則——法制，給予底線制約，維護社會秩序。在集團之外，如在國際關係中，則採取以物質利益最大化為原則的價值判斷，認可生存競爭、優勝劣汰、以強淩弱的合理性。這是曾被中國歷史所淘汰的秦國之路。這種文化最能體現人類的創造力，也最能體現人類的物質文明水準，猶如人之雙手與雙腳最能體現人的本領一樣。因此這種文化在當今世界大顯神威，其在以利益為核心價值觀的導引下產生出的觀念、信仰、規則，如民主、法制、科學、自由、人權、愛國等，被作為普世價值，隨著強大的經濟與軍事實力推向全世界。但這些所謂的普世價值觀，無一不是以維護、獲取個人利益或集團利益為前提的，像道義、是非、情理、良知等，在這裏幾乎找不到蹤影，甚至被否定。只有在關涉集團內部的穩定、和諧時，才會發出沒有具體內容的「博愛」之聲；也只有在掠奪別的集團或個人利益時，才會出現人類特有的羞恥感與道德感——以對方違背道義、公約為藉口，為自己的侵略行徑遮羞。德國法西斯入侵波蘭、日軍入侵中國、美國出兵伊拉克等，無一不是在符合道義、公約的藉口下進行的，但藉口又無一不是編造出來的謊言。這種以利益為核心的價值判斷與文化導向，永遠關注的是眼下，而非未來；是自我或局部利益，而不是人類整體。在這種文化的支配下，人類很難獲得安寧，故而著名科學家霍金發出了「人類如何才能繼續生存一百年」的憂慮。

不可否認，西方文化追求利益最大化的價值取向，使人類生活發生了翻天覆地的變化，然而也導致人與自然、人與人、國與國之間衝突的加劇與人類生存危機的出現。人類要想健康、幸福地生存，必然延續人類文化的正脈，使支脈從屬於正脈。故德國哲學家萊布尼茨說：「人類最大的惡源是人類自身。如果人類對這種惡還有救藥的話，那就在中國。」

就人類智慧的格局而言，人類有兩種不同性質的思維智慧，一種是「仁學智慧」，一種是「科學智慧」，二者構成了人類智慧的整體。「科學智慧」如耳、目、口、鼻，耳能聽到聲音，但不能辨出黑白；鼻能聞出氣味，但不能知鐘鼓之樂，各學科自守其職，而不能相通。但這種智慧，因其知能專，其技能精，故非常有利於單項突破，如警犬以嗅覺破案，甚能體現神奇之功。西方文化體現的便是這種「科學智慧」。「仁學智慧」如人之大腦，無感知之能，卻能綜合判斷。中國文化代表的則是仁學智慧。

「科學智慧」有極強的創造力，故而在這種智慧主導的兩百年間，人類在物質財富方面的創造，比過去五千年的總和還要超過千百倍！交通、通信的發達，打破了傳統空間與時間的觀念，地球兩端相隔萬里之遙的親人，可以在半天內相聚，也可以通過視頻笑臉相對。信息高速公路的開通，使信息交流幾乎沒有了時間差。反季節蔬菜的發明，使得夏果冬嘗，季節的觀念被淡化。同時人類在為利益爭奪而研發的武器裝備，由過去的「一刀一個人頭」，進展到「一個子彈消滅一個敵人」，到現在則變成了一個指頭輕動按鈕，就會有成千上萬生命消失。然而，這種智慧只能幫助人在與自然或人群的競爭中臨時獲勝，也只能使人在單項突破中感受到人類創造力的偉大，而卻無法解決人與人、人與自然、人與社會之間的永恆衝突。這種智慧驅動下而產生的不斷創新理念，把全社會捲入到了一個無休止的巨大漩渦中，使每一個靈魂都處於焦慮不安的狀態。在人類的勞動效率比之原始人千百倍地提高後，人類一點也沒有感覺到輕鬆，相反更加疲倦，而且使人產生了「不在競爭中站起就在競爭中死亡」的感覺。在科學智慧淋漓盡致地獲得發揮時，人類的安全感、幸福感卻大幅度地喪失。以食品為例，像麵粉加增白劑，豆芽加無根素，牛奶加三聚氰胺，養豬用瘦肉精，養鴨用蘇丹紅等，哪一項不是科學智慧的產物？哪一項沒有為商家贏得巨利？又有哪一項沒有給人帶來恐懼？而對哪一項有害性的認識不需要過程？即今大量轉基因食品、反季節蔬菜、保鮮劑、調味劑等，有誰敢保證三百年後不出問題呢？比如威脅人類生育、導致某種怪病的出現等。對科學的過度自信，導致人們以技術制服技術的種種幻想，認為科學是萬能的，能夠解決任何難題。但就在這種自信中，人類卻一步步走向了危機四伏的包圍圈。

更讓人擔憂的是，科學智慧是在利益最大化價值觀的導引下運作的。在個體、族群和集團之間都存在著利益問題，由此而形成了一個個的利益集團，集團與集團之間為利益爭奪鬥智鬥勇，道德變得蒼白無力，只有經濟與武力才是最實惠的。因而幾乎所有的大國都把最聰明的才智、最大的經費開銷，用在了殺人武器的研發上。不可諱言，現代科技不是在人民生活需求的牽動下起步的，而是由軍事上的制敵需求一路向前推進的。只有軍事上解密後，才會變為民用。這樣，以殺人制敵技術為最高表現形態的科學智慧，若繼續向前推進，必然的結果無疑是人類集體自殺。科學再萬能，也無法解決戰爭衝突。據有關資料披露，僅20世紀，死於利益爭奪戰爭的人口就超過了一個億。這不能不使人產生「人類如何才能繼續生存一百年」的擔憂。

人類如何避免集體自殺，這就需要有高於科學智慧又能統攝科學智慧的大智慧發揮作用，這就是中國文化所代表的「仁學智慧」。所謂「仁」，就是「萬物一體」的感受體驗。即宋儒程顥所說：「仁者，以天地萬物為一體，莫非己也。」這種智慧的最大特點是，把整體性利益永遠放在局部之上，對事物從生態的角度考慮其相互關聯、彼此相依的關係，以創造良好的生態環境和達成和諧的精神狀態為最高目標。儒家學說的創始者孔子提出的「仁」學理論，便是這大智慧的最高體現。相傳為孔子所撰的《易傳》云：「天地之大德曰生」，「生生之為易」。又云：「乾，其靜也專，其動也直，是以大生焉；夫坤，其靜也翕，其動也闢，是以廣生焉。」這「生」氣，就是天地「仁」心的體現，世俗把飽含生機的果核稱作「仁」，原因也在此。宋楊伯嵒《臆乘》說：「俗稱果核中子曰仁……蓋仁者生意之所寓，謂百果得此為發生之基。」仁者能以己體人，故能與萬物相通、相貫、相愛，共生共榮。雖然在更多的情況下，人們把這種「仁」的學說作道德性的理解，但孔子明確地說：「仁者安仁，知（智）者利仁」，把「仁」認作了大智慧。人可以通過仁的方式——相互寬容、理解、尊重、體諒、禮讓、關愛，建構起和諧的良好生態。在這種生態（包括自然生態與人文生態）中，生命可以獲得全面放鬆，從而實現全體利益的最大化。老子對這種智慧是用「道」來表述的。他說：「道者萬物之奧，善人之寶，不善人之所保。」「善人」、「不善人」，就是孔子所說的「仁者」、「智者」。從「仁者」、「善人」而言，這「仁」這「道」就是一種精神要達到的境，這是道德性的；從「智者」、「不善人」言，這「仁」這「道」則是獲得持久性利益所必須遵循的最高原則，這是智者的發現。從「仁」出發，孔子提出了「禮讓」；從道出發，老子提出了「不爭」。「不爭」則「天下莫能與之爭」；「禮讓」則天下安寧。在「不爭」、「禮讓」的人文生態環境中生存，生命不但可以處於快樂的境界，而且還不失去基本利益的保證，這可說是一種藝術的人生。

「仁學智慧」因是高於「科學智慧」的一種知識形態，因而它有很大的包容性和遠見性。像當下，中醫能夠容得西醫而西醫容不得中醫，《周易》研究可以接納科學而科學研究卻極力排斥《周易》理論，這都是很好的說明。但人類若沒有「科學智慧」，便沒有人類高度便利的現代生活；「科學智慧」若沒有「仁學智慧」統攝，便會進入快車道而走向毀滅。在當代西方「科學智慧」高度發揮作用的情況下，人類因競爭而處於焦慮、恐懼、惴惴不安之中的靈魂，極需要「仁學智慧」來解困。

國學在呼喚中復興

當下的世界，特別是中國，出現了兩種令諸多志士仁人擔憂和恐懼的現象，這就是「天下亡」與「人類亡」的跡象。

所謂「天下亡」，即顧炎武所說的「仁義充塞，而至率獸食人，人將相食」。也就是說，人失去了人性，不成其為人，道德淪喪達到了極點。在西方價值觀的衝擊下，中國傳統的道德觀被淡漠，為金錢奮鬥已成為冠冕堂皇的事情，再不需要遮遮掩掩，於是見利忘義的事情頻頻見於報導，父不父、子不子而對簿公堂的事件已屬司空見慣，讓年邁父母風雪之中露宿街頭，兒子卻義正詞嚴地講出一番大道理來。這顯然就是「天下亡」的凶兆。而人類用自身作為文明創造的大規模殺傷性武器的試驗品，更是人性喪失、天下無「人」的說明書。

所謂「人類亡」，則是指人類實體的滅亡。這是一個更為嚴重的問題。在互聯網上可以看到社會各方對人類生存危機的呼籲與恐懼，有人還專門寫了一份25萬字的《21世紀人類生存危機報告》。我們可以從以下研究者提供的資料中，看到危機的嚴重性。如能源問題，根據《科學中國人》雜誌2003年第8期《能源危機與對策》一文提供的資料：

> 石油儲量大約在2050年左右宣告枯竭。
> 天然氣儲備將在57-65年內枯竭（本世紀中期）。
> 煤的儲量可以供應169年（下個世紀後半葉）。
> 鈾可維持到21世紀30年代中期。

這些能源，是支撐現代文明大廈的鋼筋水泥。一旦枯竭，現代交通、通信皆會全部癱瘓，現代城市消失，人類退回史前，這是多麼恐怖的一幕！

再看地球生態。地球是人類賴以生存的家園，可是近年來遭到的破壞令人不寒而慄。根據聯合國有關組織的一系列報告：

> 世界耕地面積的1/5至1/3正在消失。
> 每年約有620萬公頃的土地遭受荒漠化，受害國家達110多個，10億人口受到直接威脅。

每年約有600多億噸肥沃的表土流失，使2000萬公頃的土地喪失生產力。全球地力衰退和養分缺乏的耕地面積已達29.9億公頃，占陸地總面積的23%。

每年約有1.5萬至5萬個物種消失。目前，地球上的物種已消失了25%，還有20%-30%存在滅絕的危險。

森林每年以2000萬公頃的速度減少，其中多半是對維繫地球生態平衡起重要作用的熱帶雨林。

淡水供應嚴重不足，目前全球一半的河流水量大幅減少或被嚴重污染，100多個國家嚴重缺水，20多億人飲用水緊缺。預計今後30年內，全球約有2/3的人口處於缺水狀況。

現代工業排氣導致地球溫室效應加劇，北極地區的冰蓋已減少了42%。近100年來，海洋面上升了50釐米。如果溫室效應繼續下去，海洋面再上陞50釐米，全球30%的人口就得遷移。

全球氣候變暖導致洪水、旱災等自然災害頻仍。20世紀80年代，全球每年受災害影響的人數平均為1.47億，而到了90年代，這一數字上升到了2.11億。

地球生態的大破壞，可以說是比能源危機更為嚴重的問題。因為能源沒有了，人類可以倒退到史前的生活狀態去。可是地球給破壞了，我們連史前也回不去。有專家稱人類正在導演地球第六次生物大滅絕。

更為恐怖的是戰爭危機。據新聞界披露的一份五角大樓的絕密報告稱：今後20年氣候的突然變化，將導致地球陷入無政府主義狀態，各國都將紛紛發展核武器來捍衛糧食、水源和能源供應。全世界屆時將爆發巨大的騷亂、饑荒甚至核衝突。這並非沒有可能。目前擁有核武器的主要國家是美國、俄羅斯、英國、法國和中國。但許多國家都在秘密研究，據《環球時報》的一篇報導稱，目前世界上具備研製核武器潛力的國家數量已經超過40個。人類的許多優秀的科學家把自己的聰明才智用到了殺人武器的製造上，這不能不說是人類的悲哀。據20世紀80年代的資料統計：全球擁有核武器的總數量為200多億噸，相當於全世界每人頭上懸掛了10多噸的 TNT 炸藥，如果爆炸，可以摧毀地球25次。現在的數字又要遠過於此了。這就意味著，人類在一個晚上就可能使自己徹底從地球上消失。

此外，像污染、飢餓、暴力、吸毒、自殺、非典、愛滋病、禽流感、恐怖活動等，無一不是對人類的重拳出擊。

面對人類嚴重的生存危機問題，西方大批有志之士提出了種種解決方案，科學家們提出了大力發展再生資源的問題，如太陽能、風能、光伏電力以及發明新技術從宇宙間攝取能源等。聯合國有關組織在20世紀後半葉發表了《人類環境宣言》，並相繼發表了國際性的系列環境保護檔。由世界著名科學家、作家和未來學家組成的羅馬俱樂部，在20世紀70年代發表了題為《增長的極限》的報告，提出了「安定化政策」構想。與此同時，有關學者又提出了可持續發展理論、生態倫理學理論等。

但是，在學者們的不斷努力、國際組織的不斷呼籲聲中，人類的危機卻仍在一步步加深。原因何在？很顯然，這些方案、理論和呼籲，或許能對人類污染環境、破壞生態等行為起到一定的限制，可是制止不了戰爭，制止不了暴力、恐怖等種種反人道的事件發生，制止不了發達國家不去占用或控制別國的資源。要知道，人類危機的出現，最根本的在人心，在人類無限度的追求利益的「貪念」。現在發達國家人口只占世界人口的20%，但個人消費卻占全球的90%。美國人口還不到世界人口的5%，消耗的能源卻占世界能源的34%。有學者估計，全世界都達到英國人的生活水準，人類需要三個地球的資源；

都達到美國人的水準，則需要五個地球的資源。這種所謂的發展，從根本上講是自我毀滅。

而且人心的欲望是沒有止境的。一些國家為了自己的利益，是不會恪守國際公約的。1992年在巴西里約熱內盧召開了第二屆國際環保大會，與會的113個國家代表共同簽署了包括26項條款的《里約熱內盧環保宣言》。但是會後，一些工業化國家，並沒有按照會上有關環保問題的承諾行事。在五年之後的1997年12月，聯合國組織了由世界160多個國家代表出席的第三次國際環保大會，會議在東京召開，會上出臺了《京都議定書》，並且按照每個國家的情況，制訂了減少二氧化碳排放量的具體指標。可是事後又有些國家宣佈退出《京都議定書》。為什麼？因為這樣會影響其經濟發展。有些發達國家因對在本國生產和儲存化學有毒物體存有戒心，於是便將這些化學有毒物體運往發展中國家加工生產所需品。像這種行為，所謂「安定化政策」、可持續發展理論顯然都是不能解決的。

20世紀，兩次世界大戰相繼發生。局部戰爭連續不斷。據匈牙利一位人類學家1983年公布的統計數字：第二次世界大戰後的37年裏，世界上又爆發了470餘起局部戰爭。這37年裏，沒有任何戰爭的日子只有26天！20世紀死於戰爭的人數將近一個億。

面對「天下亡」與「人類亡」的危機，從普通民眾到科學家與學者，用不同的聲音對運載著人類積累了數千年文明成果的國學發出了呼喚。中國民間書院、私塾、國學館、國學講堂等雨後春筍般的湧現，便是一場民眾為應對「天下亡」的危機而發動的一場道德自救運動。而高端學者的呼籲，則是為拯救「人類亡」採取的行動。像前所提到的湯因比、榮格、漢內斯、李瑞智、黎華倫等一批國外學者，把中國文化認作是挽救人類的唯一希望。中國一批舊學功底深厚的學者，更是從中國文化的深層來考慮其對於人類繼續生存的意義。張岱年教授提出：「中國傳統文化對現代世界的意義，概括說起來就是能夠有助於解決個人與社會，人與自然，道德與生命三種關係。」[5]湯一介教授提出，在世界文明的衝突中，「儒家的『仁學』為『文明的共存』提供了有積極意義的資源」[6]。何茲全教授提出：「在世界未來的發展中，努力融入中國傳統文化的中庸之道、和諧思想和天下為公、世界大同等積極因素，人類社會就有可能走出一條和平、發展、合作的道路。」[7]張立文教授提出了「和合學」理論，認為「和合學是求索現代人類所面臨的五大衝突的化解之道，是文化方式的最佳選擇和最優化的價值導向。作為中華民族多元文化所整合的人文精神的精髓，和合學的和生、和處、和立、和達、和愛的五大原則，是21世紀人類的最大原理和高價值。」[8]。

總之，人類面臨的種種危機和人群衝突，使得以追求利益最大化為價值取向和以科學智慧為法寶的西方文化束手無策。因為種種危機的根源皆在「人心」，科學無法解決人心的問題。而以道義為核心價值的中國文化，其所解決的恰恰是人心的問題。因此在時代的呼喚中，國學的復興便成為必然。

5 張岱年：《談談中國傳統文化》，載《河南林業》，1998（4）。

6 祝乃娟：《中國文化能為文明的共存作出貢獻——北京大學哲學系教授湯一介訪談》，載《21世紀經濟報導》，2004-12-29。

7 何茲全：《把和諧思想融入人類發展》，載《精神文明導刊》，2007（4）。

8 張立文：《中國文化的和合精神與21世紀》，載《寧波通訊》，2002（4）。

後記

從20世紀90年代後期開始，大陸逐漸掀起了學習國學的熱潮。不僅以國學為名的出版物大量湧現，而且各地還陸續出現了針對各層次人群的國學學習班和國學講座。值得注意的是，這次純屬民間自發行動，知識群體中除少數參與者外，大多都在旁觀。進入21世紀後，國學熱不但沒有降溫，聲勢反而更加浩大。

民間的國學熱潮波及大學校園，國內部分高校成立或籌畫成立國學研究機構。山西大學文學院與國學大師章太炎先生有很深的淵源，章太炎先生的兩大弟子號稱「南黃北李」的黃侃、李亮工兩位先生，都曾在此執教。章太炎先生曾招過一期研究生，共七人，而七人中的兩人——柏逸蓀、姚奠中先生都曾在此執教。特別是姚奠中先生，在此執教達半個世紀之久，使得章太炎先生的學術血脈在此獲得承傳。這一傳統形成了山西大學文學院的辦學與研究特色。因此在國學熱興起的20世紀90年代末，我們即開始籌劃成立國學研究院。在我們的觀念中，國學是以小學為基礎，文史哲不分，它是一個知識系統，也是一個價值系統，又是一種研究方法與治學路徑。

進入21世紀後，我們開始向學生、向社會做有關國學的講座和報告。2008年，與太原市興業銀行共同開辦了山西大學國學大講堂，這完全是公益性的，每周六上午免費向社會開放。我們的理念是：「建設中華民族精神家園，確立東方價值觀。」為給國學大講堂開課，我提前準備了講稿，講稿以體現東方價值觀為核心，而以國學的知識系統為載體。其後我又在山西大學開設了「國學概論」全校公選課，又專為文學院的學生開設了「國學概論」課。這一行動不僅在社會上引起了很大反響，同時也得到了山西省教育廳、山西省科技廳的支持，於是隨後作為科研項目立項進行研究。這本教材便是在此基礎上形成的。

在書稿完成的過程中，得到了山西大學圖書館王欣欣、張梅秀的支持。同時我的學生張小敏、藺文龍、杜碧媛等，也為本書付出過勞動。北京師範大學出版社馬佩林先生，為此書的出版作了積極努力，在此一併致謝！

2009.6.23

附：2013年底，馬佩林先生通過我的學生郭萬金告訴我，這本《國學概論》在現有的同類書中，影響是比較大的。建議我做些修改，增加些內容，再版。於是我想到了在東京大學題為《中國傳統文化的基本素質及其當代意義》的講座稿。在講座的基礎上，根據本書稿的內容要求，做了適當調整和修改，作為餘論，放在了書的最後。前面的部分也作了適當的修改。但因近年頭疾，不能太用腦，不好作深度思考。雖近幾年頻繁應社會各單位的邀請做關於國學的講座，形成了對一系列問題的新看法，特別是對當下的價值觀念和關鍵字的分析、認識，可是要形成文字，還需費一番琢磨，因此也未能補充進書中，深覺遺憾！書中可能還存在錯誤，還望讀者指正！

作者

2014年8月11日

中華文化思想叢書 A0100044

國學概論（第2版） 下冊

作　　者　劉毓慶
責任編輯　楊家瑜

發 行 人　陳滿銘
總 經 理　梁錦興
總 編 輯　陳滿銘
副總編輯　張晏瑞
編 輯 所　萬卷樓圖書股份有限公司
排　　版　林曉敏
印　　刷　維中科技有限公司
封面設計　菩薩蠻數位文化有限公司

出　　版　昌明文化有限公司
桃園市龜山區中原街 32 號
電話 (02)23216565
發　　行　萬卷樓圖書股份有限公司
臺北市羅斯福路二段 41 號 6 樓之 3
電話 (02)23216565
傳真 (02)23218698
電郵 SERVICE@WANJUAN.COM.TW
大陸經銷
廈門外圖臺灣書店有限公司
電郵 JKB188@188.COM

ISBN 978-986-496-104-7
2019 年 1 月初版二刷
2018 年 1 月初版
定價：新臺幣 240 元

如何購買本書：
1. 劃撥購書，請透過以下郵政劃撥帳號：
帳號：15624015
戶名：萬卷樓圖書股份有限公司
2. 轉帳購書，請透過以下帳戶
合作金庫銀行 古亭分行
戶名：萬卷樓圖書股份有限公司
帳號：0877717092596
3. 網路購書，請透過萬卷樓網站
網址 WWW.WANJUAN.COM.TW
大量購書，請直接聯繫我們，將有專人為您服務。客服：(02)23216565 分機 610

國家圖書館出版品預行編目資料

國學概論 / 劉毓慶著. -- 初版. -- 桃園市 : 昌明文化出版 ; 臺北市 : 萬卷樓發行, 2018.01
冊 ;　公分
ISBN 978-986-496-104-7(下冊 : 平裝)
1.漢學
030　　107001271